マスコミは**エセ評論家**ばかり

加地伸行

WAC

序

世にさまざまな雑誌があるが、その書名で、どのような方面のものか、大体わかる。例《たと》えば、その書名自体に、文学とか、歴史とか、ファッションとか……そういった〈領域を示すことば〉が出ている。人間、己れにとって関心のある方面のことばに出会うと、つい見てみようかという気になる。だから、書名との出会いは大切である。

そうした中、広く人々をつなぐ領域のものは、なんと言っても、単なる感想を超えての意見である、批評である、物の見方である……ひっくるめて言えば、評論である。

人間、世のさまざまな出来事や問題に対して、関心がある。それも、単なる事実について知りたいというだけではない。その事実の理由、いやその事実の及ぼすもの、というふうに、その出来事の社会的意味や、それに伴う人間の在《あ》りかたへ……と関心が広がってゆく。それは、人間の特性である。

しかし、事の真相は、なかなか把握しがたい。そこで、その解説者を求める。ところがふだんテレビ等に出演してあれこれ言っている人は、なにか言わなければならないからなにか言っているが、当《あた》り障《さわ》りのない一面的な話に終っている。ひどいのになると、こうだ、「大変ですねぇ。こんなことは、なくなってほしいです。社会や学校や家族が、日ごろよく話し合ってほしいですね」と。これが評論かよ。

率直に言おう、こうした〈世間話調〉には中身がなく、あっそう、ふーん、大変ね、と言うのと同じであって、そこには〈論〉がない。

その辺に転がっている〈似非《えせ》評論〉は、どうでもいい世間話と変わらず、それこそどうでもいい。


このように、老生のようなヒネクレ者は、ヅケヅケ物を言うので、成人してからも他者《ひと》に嫌われ七十年余、細々と暮らしてきたわな。それを見ておられたか、『Ｗ·ｉＬＬ』誌は、老生に意見開陳の場を与えて下さった。

それからその場を通じて、彼此《かれこれ》十年近くになるか、老生、言いたい放題言ってきた。そこで、今から遡《さかのぼ》って五年前あたりからほぼ現在までの評論をまとめて、ここに刊行することとなった。

その『ＷｉＬＬ』誌における老生のコラムのタイトルは「朝四暮三」。もちろん今も続いている。このタイトル、最初のころ、読者から「朝三暮四」ではないのかと質問がいくつも来た。

待ってました、その質問。ふつう、すなわち教科書的には「朝三暮四」。しかし、「朝四暮三」という表現もある。そこで、わざとあえて「朝四暮三」と表記したのである。

この両者、よくよく観察すると違いがある。朝に三個、夕べに四個。朝に四個、夕べに三個。結果的には、もちろん変りはないが、人間社会においては、やはり気になる違いとなる。もし自分が何かを得る立場であった場合、後《あと》よりも、先に多くのものを得ると、まず嬉しいではないか。

いや、それだけに止《とど》まらない。平和な時代であっても、いつ狂乱の時代と化すのか、誰にも分らない。近くは、ロシアが、突如、ウクライナに侵攻したではないか。日本とて、或る日、他国が侵攻してくるかもしれない。

とあれば、人間社会における変化、それも激変が、いつ、どのように来るのかと、先のことを常に考えておくのが、人間の心構えではなかろうか。

背筋を延《の》ばして言いたい。平和ニッポン朝三暮四よりも、危険ニッポン朝四暮三と心得るほうが、心強かろうというものである。

という気持ちがあって、『Ｗ・ｉＬＬ』誌に連載を続けて現在に至っている。

もちろん、その取りあげる対案は、主として日本の折折《おりおり》における事柄に即したものである。それぞれ世の論説や運動などに対して老生の感ずるところのあるもの――その大半は批判であるが、それらを収録している。

もっとも、敬意を表した論説や人物も出てくるが、その他の大半はその発表物に対する否定的批判である。

では、老生が否定的に批判した対象や人物には、なにか共通性があるのか。ある。それは明白である。すなわち、社会主義、共産主義等の考えかたの浅はかさに対してである。

老生がなぜそうなったのかということについて、お話しいたしておきたい。

老生、大東亜戦争（いわゆる太平洋戦争）世代である。今の若い人たちには、残念ながら理解が困難と思うが、そのころの生活において社会の暗い面を、少年ながら感じていた。なにしろ小学生であるから、本質的なことは分らなかったが、人間個々人のもつ本性、すなわち利己主義に接することは日常的だった。

その個々の話は省略するが、小学校・中学校の日常生活を通じて、人間は動物である限り、利己主義を省《はぶ》くことの困難さを痛感していた。ところが学校教育においては、小・中・高を通じて、利己主義をまず否定してから、〈博愛〉的なものを勧《すす》める。

しかし、利己主義をどう否定するかということの具体的な方法については、ほとんど役立たなかった。率直に言えば、〈利己主義はいけません〉という言葉の空しい響きだけだった。

そういう疑問のまま、大学に進学し、倫理学について、必死に読書し、その答を求めていったが、老生を納得させてくれるものは、遂《つい》に、なかった。

そこで、自分の頭で考えてゆくことになっていった。すると、己れの納得できる考えかたが、しだいに形成されていったのである。

人間は、まず生物である、というところに立つと、諸動物の行動から得られるものがある。動物――例えばネコ。ネコが子を生むと、生物として子を愛し育てる。子ネコはもちろん母ネコを慕《した》う。そこには、利己主義はない。生物が存続するための行動があるのみ。

しかし、この親（母）子ネコ以外の生物は、敵となる。すると、家族を守るためにその敵と戦うのは、利己主義であると同時に、生命の存続を図《はか》る。〈善〉となる。

というように、善悪は、相対的なもの。ところが、社会主義者・共産主義者は、始めから人間社会の人々を善と悪とに分別してゆく。そういう単純な人間観は、人間とは何かという老生の問いに答えるものではなかった。

老生、中国思想の研究者である。その研究論文とは別に、研究における己れの眼——世を見る眼によって、現代日本の状況に対して、さまざまな思いが湧き出てくる。

それらを世の人々にお伝えいたしたいという気持が、『Ｗ·ｉＬＬ』誌の連載となっていった。これは、今後も続けたいと強く願っている。老生の生命ある限り。

ということで、一先《ひとま》ず、老生の考えることを広くお伝えいたしたく、ここに刊行することとなった。

その際、分類や配列等、編集の労を惜しまれなかったワック社編集部・書籍部の諸氏に対して、厚く御礼申しあげる。

老生、本書刊行のこの四月に、数え年、八十八歳、米寿を迎えた。

大学入学から今日までの間、独往《どくおう》し、左右を問わず、誤まれる者どもを批判し続けてきた。老生の見解、分る人には分る、分らぬ者には分らぬ、という真理とともに。それは、独立独歩をもって一生を貫いてきた老生の生き様《いざま》である。

令和五年四月十日

孤剣楼《こけんろう》　加地伸行

マスコミは
エセ評論家ばかり

目次

装幀／須川貴弘（ＷＡＣ装幀室）

第一章

羅針盤なき日本社会

安倍晋三氏亡き後の日本はどこへ向かうのか

安倍晋三氏が無念の死を迎えられた。テレビでその時の映像を何度見たことか。平和な日本において、これ以上の暴虐はない。犯人は、たとい失敗に終るとも、真正面からの攻撃であるべきではないのか。それが後方から、背後からの攻撃とは、〈士道〉なき虫けらの行動ではないか。その態度、仕口《しぐち》で、犯人がどれほどつまらぬ男であったかが分る。

こうした〈つまらぬ男〉には、安倍氏の価値は、絶対に分らない。その男は母親の信心に苦しんできたという。それなら、憎しみは己れの母に向うべきではないのか。

しかし、諸記事に依れば、そのような様子はまったく見えない。あの男は、恨みを向けるべき相手や方向を完全にまちがえている。そんなつまらぬ男について、あれこれ論ずるのは、意味がない。ただ一言《ひとこと》、〈愚か者〉と評して終りである。

けれども、安倍氏亡き日本の今後は、となると、それはもう真剣にならざるをえない。

安倍氏が、なぜ政治家として重要であったのか、という最大理由は、〈思想性〉があったことにある。

もちろん、その「思想性」とは、哲学辞典の中の教科書的な哲学用語としてのそれではない。そういう教科書的な「思想」ではなくて、日本国のこれから在《あ》るべき在りかた、向うべき針路とは何か、といった〈日本の方向〉について確乎《かっこ》たる見識を持っていたという意味での「思想性」である。

失礼を顧《かえり》みず、あえて言えば、日本の政治家の大半は、そうした思想性を持っていない。すなわち、思想性を持つ政治家ではなくて、大半は右往左往する政治屋である。

その例は枚挙に暇《いとま》がない。具体例を言えば、国会における野党議員の質問の多くがそれを示す。彼らは、質疑応答という〈論理のラリー（打ち合い）〉を心得ず、ま、はっきりと言えば、言いがかりをつける、すなわちやくざ擬《まがい》の因縁《いんねん》をつける方式の質問が大半。だから、論理性などそっちのけ。当然、一貫した思想性などけ見えない。

そういう政治屋に対して、安倍氏は日本の進みゆく方向について不動の見識を持っておられた。ここが安倍氏の魅力であった。

老生、安倍氏と話した機会は少なかった。しかし、月刊誌『ＷｉＬＬ』の主催で、首相時代の安倍氏と対談をすることが、一度あった（二〇一八年五月号）。

安倍氏に従って、十人ほどの秘書官が現われたのには驚いたが、一国の指導者なのであるから、それくらいの側近補佐がいるのは当然であろう。対談中、彼らは黙って坐っていた。何を考えていたのか、分らないが、安倍氏の志を受けついでほしい。

安倍氏とは電話で話したことが二回あった。その一つは、潰瘍《かいよう》性大腸炎についてだった。実は、老生も同病を患《わず》らい苦しんだ。完治ではないが、今はほとんど克服した。それは四十代初めから十年間もの長い闘病生活であった。

その難病に罹《かか》った安倍氏に対して、老生、己れの同病対応を克明に説明した。その説明について、安倍氏は、いくつか質問をされたが、老生の助言が少しは役立ったかも、と思っている。

愚かな犯人に憤《いきどお》っても、もはや安倍氏は帰ってこない。老生のその辛い想いは、静かに一篇の詩となった。安倍晋三氏に捧ぐ挽歌である。

『易』繋辞下伝《けいじげでん》「君子は安《やす》きとき危《あや》ふきを忘れず、存《そん》して亡《ほろび》を忘れず、治にいて乱を忘れず」ということばを憶《おも》うと、残念でならない。

〈謹んで安倍晋三氏に捧ぐ挽歌〉

安不忘危王佐才
倍加瑞気亦雄哉
晋途暴戻悲風渡
三代専心志未灰

安《やす》きとき危《あや》ふきを忘《わす》れず、王佐《おうさ》の才《さい》あり。
瑞気《ずいき》を倍加《ばいか》す、亦《ま》た雄《ゆう》なるかな。
〈だが、その〉晋《すす》む途《みち》に暴戻《ぼうれい》あり、
悲風《ひふう》〈全国に〉渡《わた》る。〈しかし〉
〈岸・安倍〉三代《さんだい》が専心《せんしん》〈その〉志《こころざし》未《いま》だ
灰《ほろ》びず。

孤剣楼《こけんろう》

虚像の「特高」で首相を侮辱《ぶじょく》する凡庸な作家・辺見庸と落ち目の新聞と

世は、コロナ禍一色である。と同時に、さまざまな流行語が生れてきた。

それらの中で、老生、最も実感を得たのは「不要不急の外出」。わけても「不要不急」ということばは、ずしんと胸にきた。これは、われわれ老人に対してぴたっとしており、それその通りではある。

老人――これ自体、不要不急そのものであるわな。世のだれも相手にしてくれない層であるどころか、憎まれてさえいる。

と言わずとも、そこはそれ、なんとかの呼吸で、老生、家にずっと籠《こも》り、一日中、テレビでの映画を毎日観たわな。

そして分った。名作、名作と言われてきたものが、意外と駄作。逆に始めて観たのだが、思わぬ力作もあったりして、世の評価など、怪しいものと思ったりした。

という調子で、かつての己れの映画青春時代にもどった日々。つまりは、ほぼ毎日二本ほど観て暮した「不要不急」の日々。

　その我が愛する映画に対して、変なことを言う愚か者の記事と出会った。すなわち辺見《へんみ》庸《よう》「首相の〈特高顔《とっこうがお》〉が怖い」（毎日新聞大阪版夕刊／二〇二〇年十月二十八日付）である。

　二〇二〇年秋十月、日本学術会議の新会員任命に際して、任命権者である菅義偉《すがよしひで》首相（当時）がその候補者の内の六名を拒否した。その件について、辺見某は菅首相に対してこう述べている。

「僕は戦争を引きずっている時代を知ってるわけ。だから、ああいう特高警察的な顔をしたやつがいましたよ……」と。

　これ、本気で言っているのか。大東亜戦争の敗戦時、老生は国民学校（今の小学校）三年生。辺見某は、右の引用記事面に記されていた略歴に依れば、一歳ではないか。そんな乳幼児が、どうして特高を知っているのか。当時九歳の老生でも、特高のトの字も知らなかったのである。

「特高」とは、特別高等警察の略語。特高は、歴史も古く、明治時代に始まり、昭和期には、主として思想犯を対象とした。その思想犯の中心は、日本の政権を共産主義化しようとする連中であった。もちろん皇室を廃止する。スターリンが率いるソ連のターゲットが日本であることは常識であった。そういう大きな世界史的観点からすれば、特高を全否定することはできない。

しかし、戦後日本は、純情にも特高を蛇蝎《だかつ》視し、戦後の映画に登場する特高を演ずる俳優について、〈いかにも怖い悪いヤツ〉というメーキャップと演出とで造りあげていったのである。幼少年辺見某は、そうした映画を見て特高像を描き、思いこんでいったのであろう。つまり、〈創作上の特高〉にすぎない。

そういう虚像を実像視し、菅首相の顔を特高顔と称するのは、無礼である。公人（首相）でなければ、名誉毀損《きそん》ものである。

前引毎日紙上、辺見某の写真が出ている。それに基いて、もし人が「この顔、詐欺師の典型」と言えば、辺見某は黙っているのか。

顔が似ている、と言うのが、そこまでならば、それはまだ許されよう。物体としてだからである。しかし、特高顔と称すると、そこに悪意の価値観が塗りこめられ、差別となるではないか。

しかも、それは主として映画等によって造り出された虚像表現であろう。そういう使い古され手垢《てあか》にまみれたことばを使うのでは、作家としての矜持《きょうじ》（誇り）がない。そこらのテレビドラマを見るがいい、「お主《ぬし》も悪《わる》よのう、越後屋《えちごや》」という定型と変らぬ。ということは、文筆第一の作家としての才能、表現力、そして洞察力がないということである。

その程度の者を使って、政府批判、首相批判をするなどという話では、毎日新聞には人物いや筆力を見ぬける人材不足と見た。毎日の凋落《ちょうらく》の見本の一つである。

古人曰く、〈賢者は〉、その昭昭《しょうしょう》（明らか）を以《もっ》て、人をして昭昭たらしむ。今〈あの人物は〉、その昏昏《こんこん》（暗き）を以て、人をして昭昭たらしめんとす、と。

〈賢者は〉、その昭昭《しょうしょう》（明らか）を以《もっ》て、人をして昭昭たらしむ。
今〈あの人物は〉、その昏昏《こんこん》（暗き）を以て、人をして昭昭たらしめんとす。
『孟子』尽心下

昭昭：本当に分っている。
人：一般人。
昏昏：理解していないさま。

森友学園問題で自殺した官吏は断固闘うべきであった

老生、超?高齢の上、足元も不確か。毎日、相変わらず専門の漢文を読んでいるが、石原裕次郎の歌を聞きながらという、邪道の晴耕雨読《せいこううどく》ぞ。「耕」もちろん田畑《でんばた》をではない。舌耕（講演）、筆耕（原稿）よ。

その生活の中、思わぬものに出会った。例の森友学園問題に関する〈遺書〉の件。

財務省の地方組織である近畿財務局の職員、赤木俊夫氏（以下Aと略記）が二〇一八年に自殺。そのときに残していた遺書全文を未亡人が公開したのである。『週刊文春』（二〇二〇年三月二十六日号）に。こう述べている。森友学園が購入した国有地問題をめぐって、財務省は、本省として下部組織の近畿財務局に関係重要文書の改竄《かいざん》を命じたため、自分Aはそれに従わざるを得なかったが、その件の主謀者は、某、某、某と実名を挙げて抗議している。そして家族への遺言も残し、自決した。五十四歳。

未亡人は、Aの上司たちを許せぬとして、二〇二〇年三月、某らを大阪地裁に提訴した。

以後は、裁判という公的な場所での議論となるので、その内容や行方については、裁判の進捗《しんちょく》を待つほかない。

ただ、老生、気掛《きが》かりなことが一つある。Aは、なぜ自裁しなければならなかったのかという点である。決して死者に対して鞭打つのではない。その遺書の文は整然としており、不自然さはない。それどころか、むしろ冷静な第三者の筆調とさえ言える。

ならば、堂々と生きて改竄を命じた者どもと対決すべきではなかったのか。遺書中、自分の精神的不安定の状況を記してはいるが、本旨の論調に不自然さは見えない。

もちろん、自裁者の心の中は、だれにも分らない。しかし、自ら生命を断つほどの怒りがあるのならば、それを相手に対して真《ま》っ向《こ》うからぶつけても良かったのではなかっただろうか。老生、決してAの人格を批判しているのではない。実はかつての己れの或る憤怒と重ね合わせてそう言うのである。

六十年も昔、老生は京都大学大学院修士課程の院生であった。担当の主任教授の重沢俊郎（故人）はマルキスト。

当時、どの文系学生もマルキシズムを勉強した。その読書、そして論争の日々。老生には、なぜか気の合う本格派マルキストがいたので、彼との議論や読書会を通じて、マルキシズムを心得た。老生はマルキストではないが、マルキシズムの本質については十分な理解をした。

その老生から見ると、主任教授のマルキシズム理解はチャチだった。関係重要文献を読んでいないことは明らかだった。ならば黙っておれば良いものを、老生、若気の至りで彼のマルキシズム誤解の一つ（もっとあったが）を指摘したのである。その時、彼は黙っていたが、心中、烈火のごとき怒りとなったようだ。

しかし、誤まりは誤まりとしてすなおに受け入れれば良いものを、狭量な男であった。多分、旧〈帝国大学教授〉という看板のプライドからか。

その報復はすぐに来た。演習時、老生の氏名を言わず、「まだ発言していない人」「窓側に坐っている人」「他の意見のある人」……という指名だった。

老生、その侮辱に耐えつつ、修士論文を提出したが、主任教授の彼はその主査であり、老生を上の博士課程に進学させないために姑息な手段を取った。すなわち修士論文評価八十点以上が博士課程進学許可の条件という内規があったので、加地論文を七十九点とした。

紙幅がないので詳記できないが、実は、そのドンデン返しがあったのである。

加地が重沢にひどい目にあっているという話が広まったことを背景に、学内外の三人の教授が秘かに私のために就職斡旋《あっせん》をして下さり、修士論文提出の一カ月前、就職が内定していたのである。それを重沢に知られぬよう煙幕、煙幕の日々だった。そして修士論文提出の三カ月後の四月、二十六歳、高野山大学専任講師として颯爽《さっそう》と赴任したのであった。その後、重沢の書いたものに対して、徹底的に批判をした。なお、その時の老生の修士論文の一部が後に拙著『史記―司馬遷の世界』（講談社現代新書）となった。

人生、本気で闘えば、見る人は見ている。

古人曰く、千挙《せんきょ》〔し〕万変《ばんぺん》するも、その道《みち》は、一《いつ》なり、と。

> 千挙《せんきょ》〔し〕万変《ばんぺん》するも、その道《みち》は、一《いつ》なり。
> 『荀子《じゅんし》』儒效《じゅこう》
>
> 挙：新出する。

高橋純子朝日編集委員の「というふうに思います」解釈

コロナ禍――陸《ろく》（碌）でもないことばである。しかし、コロナの特効薬がない今、ワクチンを打ってもらって、コロナ菌どもに対抗するほかない。おっと、厳密に言えば、コロナは、将来、菌に進化する前段階の生物で、まだ菌ではないようだが、そんな細かいことをあれこれ言ってもしかたがない。老生のような〈生命《いのち》短かし、故意せよジジイ〉にとってはのう――という在宅の日々。

それは、暇《ひま》という一言に尽きる。となると、長年の根性《こんじょう》悪《わる》気分がむくむくと起ってくるわな。すなわち人さまに対して恋、ちごた！〈故意する〉のよ。ただし、故意にはルールがある。相手に対して、アホバカなどという罵詈《ばり》雑言《ぞうごん》は投げぬ。あくまでも論理的に。

それと言うのも、或る悲しい想い出があるからだ。事の序《ついで》に走り書きしておこう。

今から五十年も大昔、老生、名古屋大学に勤務していた。ちょうどその時、あの大学紛争があった。学生運動体が二つに割れ、いわゆる新左翼と民青（共産党系）との対立が軸となっていた。両者は、初期のころは論理的に論争をしていたが、それがいつの間にか崩れ、罵倒化していった。

その果てが、論理や思想なき衆愚集団となり、自己解体してゆき、今や雲散霧消してしまった。悲しや、その根本原因は〈大学内における罵倒化〉であった。

それも遠い昔の話になったのう。とここでハッと我に返る。昔は昔、今は今じゃと。

さてコロナ在宅の日々、暇であるから新聞を隅から隅まで読むこととなる。以前なら、全体の一割も読んだかどうか。それが今や隅々まで詳しく読んでおるわ。変われば変わるものよ。

その散読中、どうも老生の感覚と異なる文章に出会ったので一筆。

高橋純子・編集委員の「多事奏論」（朝日新聞・二〇二一年八月十八日付）である。

高橋某は、「責任回避の言葉遣いに首相はいまなお終始している」とし、菅義偉首相は、その発言において、「〇〇というふうに思います」ということばを多用し、「……する覚悟」という発言がないとする。

そういう事実指摘をし、こう述べる。〈言葉に宿る思いや熱は「ふう」を通せば霧散する〉と。「ふう」は「というふうに」の「ふう」。そして言う、「言質《げんち》を取られないよう、不明瞭な、責任回避の言葉遣いに首相はいまなお終始している」と。

なるほど、そういう見方、そういう解釈もあるかとは思ったが、老生は同意しない。それと言うのも、「というふうに思います」ということばの語感が高橋某と異なるからだ。

その昔、老生、大学教員を計三十六年余務め、その間、教授会を始め、さまざまな多くの会議に出席してきた。もちろん大学紛争期には学生の要求する〈団交〉にも。

そういう多様な会合において発言する際、きっぱりと自分の意見を表明するとき、末尾は「……と思います」であった。その「と」は〈内容に対して個人の意見としては〉という気持を表わしており、その結果としての「思います」には、重い責任を含んでいた。他の意見と異なり、「私は」こう思うというとき、「……と思います」と述べる。

そこには、ただ従うとか、みなといっしょとかといった付和雷同ではなく、自分の意見を表明する強い意思があった。そうした気持を表わすのが「……と思う」であることは、会議参加者の常識であった。特に、あの酷《ひど》かった新左翼系との団交においては。

と、なにやら昔話になってきたのう。高橋とやらお若いの、その突撃スタイルはカッコイイが、大体においては討ち死にぞ。

大東亜戦争のとき、塹壕《ざんごう》から敵に向って「突撃」と命じても、だれも出ない。そこで一番先に若い小隊長が飛び出して撃たれる。すると、やっと兵も出る。その小隊長の多くは学徒出陣者だった。辛《つら》い悲しい話である。

古人曰く、行《おこ》なはんとする者《もの》、その行なふこと能《あた》はざる所《ところ》を、行なはんとす、と。

> 行《おこ》なはんとする者《もの》、
> その行なふこと能《あた》はざる所《ところ》を、
> 行なはんとす。
>
> 『荘子』庚桑楚《こうそうそ》
>
> 能：可能。
> 庚桑楚：人名。

軽薄なる〝マスゴミ〟へ――「国語」と「日本語」とは別もの

この正月、老生が呆《ぼ》けたか、相手が惚《ぼ》けているのか、ちと分らぬ文章に出会った。ジャーナリストとやら安田浩一なる者の〈「マスゴミ」批判に萎縮《いしゅく》不要〉と題する一文（毎日新聞／二〇一九年一月七日付）。

同文の大筋は、近来、マスコミがマスゴミとして批判されているが、そういう批判をしている手合《てあい》は下らん連中だから、萎縮しないで〈堂々と「これが新聞」と記事で反論すればいい。原点に立ち返り、報じることにしか読者の信頼を取り戻す手段はない〉と結ぶ。

この結論、驚いた。「原点に立ち返り」と言うが、そのいわゆる〈原点〉とは、一体、何なのか、定義してみよ。できるのか。

ま、ぶっちゃけた話、売ってなんぼのもんが原点とちゃいまっしゃろか（大阪弁）。

その点、共産党はなかなかいい表現をしている。ずばり〈商業新聞〉とな。安田某の寄稿先の毎日新聞ももちろん商業新聞、売ってなんぼのもんよ。偉そうなことを言ってもだめ、それが〈原点〉なのである。だれが何と言おうと。もしそうでないと言うならば、安田某に問う。もうけを度外視して、〈無料〉の新聞を責任を持って発行できるのか。もちろん、そこで働らく人々も無給よ。安田某の全財産をはたきだしても、一秒と持たぬわ。その売ってなんぼのもん戦争において、毎日新聞はずっと敗走し続けていると言うのが現実ではないのか。

それには眼を瞑《つぶ》り、安田某は〈排外的な空気が広がる中、メディアを声高《こわだか》に批判する人たちも出てきた〉と言う。そう、その通り。このヨタヨタ歩きの老生もその一人。

それを安田某はこう続ける。〈その人たちは、マイノリティー批判を展開する人たちと地下茎で結ばれている〉と。

ふーん、と、老生、感、嘆を久しゅうした。〈地下茎〉て、どこにあるのですか。拙宅の基礎一帯はコンクリート。どこの地下茎とつながっているのですか、教えてくださーい。行けまっか？

老生の人生は、右顧左眄《うこさべん》とは無縁。独立独歩を貫いてきた。ましてこそこそと〈地下茎〉の人々の御機嫌取りなど、一切、したことはない。

老生のこの反論に安田某は答えられるのか。〈地下茎〉などという安っぽい比喩ではなくて、堂々と〈精密に論理的に〉、正統的国語を使って論述せよ。それが文筆家の心構え。それがない限り、売ってなんぼの世界で、這いずり回るだけに終るであろう。

国語と言えば、中西寛〈「国語」と「日本語」の間〉（毎日新聞／二〇一九年一月十三日付）が引っ掛《かか》る。彼はこう述べている。

外国人労働者が日本に増えてくる現実を前にするとき、国語（日本語を母語とする人が学ぶ）と日本語（外国語として）との両者の〈境界は日本人が使ってきた言語の本質的な性質ではない。今日の日本人が使う「国語」は明治末以降普及してきた特定の姿である〉とし、〈「国語」のあり方を変えることは……日本社会全体の課題である〉と結ぶ。

では、どう変えるのか、という具体案はまったくない。これが〈マスゴミ〉論陣の典型。男児たる者（明らかな男女差別語じゃのう）、独自の具体的な説がなくば、筆を執るな。

中西某は、ことばの問題を形の上だけから見ているにすぎない。だから薄っぺらいのである。深思黙考、国語とは何か、そして論じているのか。国語と日本語とは別物なのだ。

老生、この半生、国語問題について考え続けてきた。その結果として、こう定義する。すなわち「国家の文化・歴史・伝統を背景として展開してきた言語」である、と。この定義の最初の「国」字、最後の「語」字を併せて「国語」と称する。国語の諸問題はこの概念から始まると確信している。すなわち国語は明治以前から存在しており、日本人以外の者が理解するのは困難なのは当然なのである。

古人曰く、羽翼《うよく》　美なる者は、骨骸《こつがい》を傷《いた》む。枝葉《しよう》　美なる者は、根茎《こんけい》を害《そこな》ふ、と。

羽翼《うよく》　美なる者は、骨骸《こつがい》を傷《いた》む。
枝葉《しよう》　美なる者は、根茎《こんけい》を害《そこな》ふ。
『淮南子《えなんじ》』詮言《せんげん》訓
美：中身がなく外見の調子良さ。

日本に「夫婦別姓」問題は存在しない

コロナ禍が原因で、老生の講演のほとんどが中止・延期とあいなった今、家に引き籠もりの日々。ということで、新聞やテレビに接する時間が増えに増えた。コロナ禍以前の数倍はのう。すると、面白いことが起った。日ごろ偉そうに言っている連中の〈日本語誤解〉が、意外と多かったことである。

例えば、三輪某という女性弁護士。テレビで「他人事」を何度も「たにんごと」と喚《わめ》いていた。これって読みは「ひとごと」でしょう。先生よ、中学生でも知ってまっせぇ。

というあたりは、ま、罪がないが、事《こと》、国家的な問題のときは、正確な表現でなくてはなるまい。その不正確の典型が実は起っているのであるが、ほとんど誰も指摘しないので、老生、あえて述べることにする。

それは、「夫婦別姓問題」という表現である。その主張者は「夫婦は同姓ではなく別姓にすべきである」と言いたいのであろう。それを約《つづ》めて、正確には「夫婦同姓問題」と言いたいのであろう。しかし、日本において〈夫婦同姓〉などどこにも存在しない。あえて表現すれば「夫婦同氏問題」なのである。

厳密に言えば、「現在、日本は夫婦同氏であるが、夫婦を別姓にしたい」という願望を「夫婦別姓問題」と約《つづ》めて表現しており、事実（同氏）を隠して、願望（別姓）を表現している、ということだ。その無理な表現から、その同調者の多くは、己れの無知、無学、無案内等々に気付かないでいる。

という流れ、という話なのであるが、重要な問題であるので、根本から述べたい。

第一は、姓。これは概念が明晰《めいせき》である。すなわち出生した家の姓。だから、A姓の男子とB姓の女子とが結婚した場合、夫はA姓、婦はB姓のままである。すなわち姓を変更することはなく、別姓。しかし、出生した子は、夫姓となる。なぜか。それにはこういう深いわけがある。

東北アジア（中国・朝鮮半島・日本・台湾・ベトナム北部）は一族制であるから、その一族内で出生した者には、夫とか男性とかではなく、その上に在《あ》る一族の姓を全員に与える。血のつながりを最優先するのである。

だから、一族において出生したその人は、生涯、自分の姓を持ち、それを名乗り続けるのである。婚姻においても、それを貫く。すなわち〈夫婦は別姓〉なのである。

さてこういう疑問が生れよう。たまたま男女が同姓であったときはどうなるのか。

このときは、徹底的に調査して、同姓ではあるが一族としての血縁関係がないときは、婚姻が可となる。しかし、もし同系統のときは、一族として結婚を許さない。この原則は、現代の中国・台湾・韓国等において今も堅く守られている。日本では厳密でない。しかし、儒教文化圏では出生姓を守ってきた。

ところが明治維新後、欧米らと結んだ条約に不平等な点が多かったのでその改正を求めたとき、外国からさまざまな要求を受けた。一言で言えば、欧米流の法改正要求だった。特に家族問題。その内の一つが婚姻後の姓である。しかし儒教下では、姓は絶対に変えられないので、妥協して、婚姻後、姓ではなく夫妻に同一の氏を名乗らせたのである。欧米のファミリーネームの日本版であった。氏は姓と異なり、主としては人為的呼称であった。地名とか、名誉的な名乗りとか、恩賞としてとか、さまざまな切っ掛けがある。

日本の民法では、この氏を婚姻後に名乗らせた。その際、夫が自己の姓を氏として選ぶことが多かった。そこには古代以来の一族意識（姓）があったことは事実であろう。

参考までに。現代台湾では、結婚後、夫婦各自の姓を合わせる。例《たと》えば、男性の姓が習、女性のそれが李のとき、結婚後、正式の姓は「李習」となる。

役所では必ず「氏名」を求める。「姓名」ではない。この「氏」は欧米のファミリーネームの物真似であった。今やまた氏否定という欧米の運動の猿真似をするのか。

古人曰く、西施《せいし》病《や》みて矉《ひん》す（くしゃみをする）。醜人《しゅうじん》……之《これ》を美《うるはし》とし、〔真似して〕矉す。〔それを見た人々は嫌になったので、外に〕出《い》でず。〔村に〕帰りて……〔あるいは〕去る、と。

西施《せいし》　病《や》みて……矉《ひん》す（くしゃみをする）。
醜　人《しゅうじん》……之《これ》を美《うるはし》とし、
〔村に〕帰りて……〔真似して〕矉す。
〔それを見た人々は嫌になったので、外に〕出《い》でず。〔あるいは〕去る。
『荘子』天運

西施：絶世の美女の名。
矉：病気で咳《せ》き込み、顔をしかめる。
醜人：不美人。

美人・不美人は客観的〈観察〉による判断

〈ことば狩り〉の時代である。しかも、そのことばを差別語として。例えば、女性に対してのことばが厳しい。「美人」ということばは、どうやら使わぬほうが無難と聞く。

というのも、「美人」と言えば、同時にその人間の意識の中に「不美人」のイメージが現われるそうな。すなわちそれは、人間に対して、女性を美人か不美人かのどちらかに分類する、悪しき差別意識の現われとやら。となると、逆にそれは、他人が人の意識の中にまで、ズカズカと土足で入りこむ無作法ではないかと、老生などは思う。

しかし、この身体的〈差別〉なるものは、抜本的には、人間の意識の中にある〈観察〉という本能がもたらすものではないのか。

例えば、男性と女性との二人連れが歩いているとする。さてその向う先から男性が歩いてきているとする。その男性は男女二人連れに対して、どこを見るか。まず一〇〇%、女性を見る。同伴のオッサンなど眼も呉《く》れぬ。どうでもいいからだ。

さてその次が問題。向うから女性が来たとする。やがて男女二人連れと出会う。どうなるか。一〇〇%、連れの女性を見る。いや、厳密に言えば、女性のファッションを見るのである。同伴のオッサンなど、犬くらいにしか思っていないので、完全無視。

この現象は、厳たる事実。誰が何と言おうと、老生八十数年の経験から言っても。

すなわち、女性は常に他者から見られているのである。誰が何と言おうと、事実は事実。だから、女性は老若すべて、外出となると、その出発前、時間など考えず、ファッションに没頭する。御苦労な話である。

女性の、このファッション熱は、本能ではなかろうか。当然、非外出時には特別なことはしないで平気。結婚相手の同居男など、問題にもしていない。もうどうでもいいからか。その論理は明快である。

このように、生物は相手と出会ったとき、まず敵か味方かを区別する。次は、当然、男か女かを区別する。その次は……という風に観察してゆく。この〈観察論理〉は本能であり、誰も否定することはできない。それは、生きてゆくための基本だからである。

その過程において、感情が重なってくる。それがすなわち〈好み〉である。

この〈好み〉は、感情であり感覚であるから、〈個別的〉であり一般性はない。すなわち〈観察〉の客観性と異なる。

さて話を〈美人・不美人〉にもどす。相手を美人・不美人に分類する際、非常に難しいが、その基礎は、やはり客観的〈観察〉である。その典型が、雑誌（女性誌も含めて）特集の女性写真であろう。

ある雑誌は、毎回、若い女性の写真を出している。老生、たまに手に取るが、率直に言って、いわゆる美人と思ったことが一度もない。どう思ったかとあえて言えば、頭の働らきが鈍《にぶ》そうだな、である。長年、教師をしてきたので、〈経験〉で分るのである。もちろんその見分けかたがあるが、これだけは誰にも教えない秘密であるわな。知りたければ、老生に弟子入りすることじゃ。

と述べてきたが、この話、〈ことば狩り〉派にはトンと分るまい。思いこんだらそれ一《いち》途《ず》の硬直した姿勢では、人間の多様性は分らない。

例えば、名曲「ラヴ・イズ・オーヴァー」という演歌がある。その歌詞にこうある。別れの果てに女がこう言う、「泣くな、男だろう」と。これを男への差別と言うのなら、こうか、「泣くな、女でない人間だろう」？　いや、いけない。「女」を出しては差別。それならこうか、「泣くな、人間だろう」。となると、これはもう独裁者の一方的な抽象的演説となり、人の心を打たない。

さらに言えば、〈表現の自由〉を犯していいのかという大問題となってゆくことであろう。それまたいずれ述べようぞ。

古人曰く、管《くだ》を用《もち》ひて〔その狭い穴から〕天を闚《うかが》ひ、〔短い〕錐《きり》を用ひて地〔の深さ〕を指す〔がごとし〕、と。

> 是《こ》れ直《た》だ管《くだ》を用《もち》ひて〔その狭い穴から〕天を闚《うかが》ひ、〔短い〕錐《キリ》を用ひて地〔の深さ〕を指す〔がごとし〕。〔結論は〕亦《ま》た小ならずや。
>
> 『荘子』秋水
>
> 直：何も考えずにすぐさま。
> 用：使う。
> 闚：広さを測《はか》る。指：深さを測る。

重度障碍者国会議員は世に甘えるな

高齢の老生、猛暑に完敗した。六十年も昔の学生時代、三十度を超えると話題となったもの。しかし、人様《ひとさま》の前（もちろんクーラーなどなし）では、長袖が普通であった。上衣を脱《ぬ》いでも、下は長袖シャツが普通であった。今は昔の遠い物語……。

などと言っておるうちに参議院選も終り、二〇一九年八月一日には開会式。その日、テレビ・新聞等でいろいろなことが紹介されていたが、なんと言っても、その中心の話題となったのは、重度障害者二人の新議員であった。

すなわち、れいわ新選組の木村英子・舩後《ふなご》靖彦《やすひこ》・両議員である。

彼らは日本人である以上、参政権があることは言うまでもない。しかし、そうした権利と、議員としての能力とは別である。その点は、もちろんすべての議員についても言えるわけで、当然〈議員としての対象〉の下での批判を受けることがあるだろう。

その場合、その政治的批判に対して、議員としての対応を堂々とすべきであって、その批判を〈差別〉と受け取るべきではない。

今日、「差別」ということばは、一種の万能呪文のような道具と化しており、相手から「それは差別」と大喝された瞬間、誰しもが黙ってしまう。しかし、正当な批判に対しては、真摯に対応すべきである。まして国会議員という公人である以上。

前記の木村議員は、或るメディア（テレビ画像上に固有名詞は出ていなかった）からの「これからの議員活動はどのようにするのか」という意味の問いに対して、「これから考える」といった趣旨の応答をしていた。

この応答はおかしい。国会議員として立候補したとき、議員としての抱負や政見は、当然、持っているべきではないか。しかし、これから考える、と来た。これでは議員としての基本ができていないではないか。立候補後からでも、時間は十分にあったはずだ。

さて開会当日、議長選出の議事がテレビに映し出された。前引両議員の意志表示は、担当の介添人が代理で挙手をしていた。そういう規定があってそれに従ったのであろう。

しかし、一言も発することができない舩後議員の場合、その意志の客観性を担保するためには、介添人のその理解が妥当であるのかどうかということを確認する客観的判定人を付けるべきであろう。それは公正を担保する手段であって、差別ではない。

またメディアに依れば、両議員はベッドや車イスの使用者であるので、それに対応するための公用車の使用を要求とのこと。

それはおかしい。公用車は、議員が登院後に、別の場所にそれこそ公用で移動することが発生したとき、公用車の使用申請をするのであって、登院・退院（出勤・退勤）の費用は自前（交通費あり）であり、公費ではない。公用の意味が分っていない。自己の登院・退院時に特別仕様の乗物が必要なときは、自己の歳費を使って改造し、それを使用すべし。それが人間平等の意である。

念のために言えば、議長・副議長には専用車がある。これは三権分立の立法トップに対する車用であって、特別である。

その昔、日本人論の一つとして『甘えの構造』という本がよく読まれた。もちろん、すべてがすべて〈甘えの構造〉で日本人を観ることはできないが、今回、二人の重度障害者議員の要求や行動には、なにやら〈甘え〉が見える。覚悟の上の立候補には見えない。

人間はそれぞれなにがしかの身体的苦労をしていることが多い。老生もその一人であるが、可能なかぎり自己責任で律している。身体的苦労に対しては、それぞれがそれぞれにとって可能な方法で対応の努力をして生きていっている。重度・軽度の違いはあれ。

新両議員は、世に甘えるべきではない。己れの最善を自力で尽すべきであろう。
古人曰く、民の〔自己〕利《り》〔益〕におけるや、水の下《くだ》るがごとし。四旁《しぼう》〔まわりのどこ
へでも進み〕擇《えら》ぶなし、と。

民の〔自己〕利《り》〔益〕におけるや、水の下《くだ》るがごとし。
四旁《しぼう》〔まわりのどこへでも進み〕擇《えら》ぶなし。
『商子《しょうし》』君臣
利：利益の機会。
四旁：まわり。

それなら「差別表現辞典」と「差別検察庁」をつくれ

老生、呆《ぼ》けてきたので、その昔、老生にあった遠慮などというゆかしきものは、いつのまにやら消し飛んでしまったわな。

じゃによって、世の真面目《まじめ》くさった（実はインチキの）話を聞くと、つい大阪弁となる。あんた、なに言うてまんねん、と。そ、もし、なに言うてけつかる、と言えば、これはもう元気一杯の喧嘩腰。

さてさて、その真面目くさったインチキ話とは、こういう話。『週刊ポスト』（二〇一九年九月十三日号）の特集「韓国なんて要らない」が、差別を扇動するひどい中身だと、インターネット上で批判され、同誌編集部が謝ったとか。

されば、まずは同誌と、『週刊ポスト』を生れて始めて買ったわな。盛り沢山の記事でサービス精神満点。

さて、問題となった韓国特集は〈「嫌韓」ではなく「断韓」だ　厄介な隣人にサヨウナ

ラ　韓国なんて要らない〉という旗印の下、軍事・経済・スポーツ等各方面について論評し、大韓神経精神医学会（ソウル大医学部・精神医学科の權俊壽教授が理事長）が公表した報告（二〇一五年）をこう引いている。

「韓国成人の半分以上が憤怒調節に困難を感じており、十人に一人は治療が必要なほどの高危険群である」と。つまり成人の半分の一割すなわち二百万人（韓国の人口を五千万人とし、四千万人を成人とすると、その半分の一割は二百万人）ほどの韓国人には、「間欠性爆発性障害」という病気があると、韓国の医学会がそう言っていることなどを紹介している。これらのどこが、いわゆるヘイトスピーチなのか、説明してみよ。

老生、『週刊ポスト』所載の韓国関係記事を虚心に読んだが、どこが差別なのか、まったく分からなかった。ヘイトスピーチと非難するならば、具体的に〈どこが・どういう点で差別なのか〉また〈差別とは何か〉をきちんと論理的にかつ事例を挙げて説明すべきである。感情的にキャアキャア言うのは論外。

なぜ『週刊ポスト』だけが差別批判という左筋に因《よ》る攻撃を受けたのであろうか。

例えば、一年前、二〇一八年十月二日号の週刊『エコノミスト』の大タイトルは「中国の闇」である。同誌中の諸タイトルは「家計の借金は破裂寸前（無人マンション、不動産バブル）・設備投資減り、ハードルは高い・住宅ローン抱えて消費低下……」と先行き絶望論が満載。二〇一九年の同誌九月三日号の大タイトルは「絶望の日韓」。連続差別ではないのか。

あの「中国ヨイショ」の毎日新聞の系列の『週刊エコノミスト』だが、厳しい報道をしているという点、事実への覚醒を促した点、それは〈論説〉として価値があり、差別ではない。

今回の『週刊ポスト』のテーマ「韓国なんて要らない」の諸論説を差別として闇に葬《ほうむ》ろうとする勢力こそ「日本の闇」である。

その一件中、珍妙な小話《こばなし》が生れていた。それは、『週刊ポスト』への連載執筆者のなんとやら（その名、本当に失念した）、その某が、〈差別をする〉同誌への今後の執筆を辞退とのこと。

結構なことではないか。有象無象《うぞうむぞう》のチンピラ売文業者が一人減るだけのこと。代替筆者は山ほど居《お》るわ。差別——と聞いただけで飛び上り、いや腰が抜けて這う這う赤ちゃんみたいなそんな手合いに、ジャーナリズムという鬼をも拉《ひし》ぐ修羅場で生きてゆくのは、土《ど》台《だい》、無理。消えてゆくのが幸せというものじゃ。

文筆上の差別問題に対応する批判者らはこうすれば良い。案が二つある。

第一は、差別とする表現（単語のみならず短文も含めて）の辞書を作ること。もちろん単語だけではなく、文脈、文章に関わる詳しい例文を一項目につき必ず三例以上示すこと。

第二は、司法に差別検閲庁という役所を作り、差別語や差別者を徹底的に調査し、有罪にすることだ。われわれ文筆業者は黙って定型の左筋用語を呟《つぶ》やこう。例えば、（取り締りがきびしくなる）「軍靴の音がする」と。

古人曰く、天下は、一人《いちにん》の（ための）天下にあらず。天下の（人々のための）天下なり、と。

> 天下は、一人《いちにん》の〔ための〕天下にあらず。
> 天下の〔人々のための〕天下なり。
> 『呂氏春秋《りょししゅんじゅう》』貴公

老人に正当な賃金を払って仕事を与えよ

猛暑の中、老生、息も絶《た》え絶《だ》え——というのは大嘘で、ぶらぶらの毎日。こういう老人を山ほど抱えこんだ我が日本国、これから先、大丈夫かいな、と思う。第一、老人は食《しょく》が細いと言うが、それ大嘘。老人は、まあよく呑むわ、よく食うわ、よく喋《しゃべ》るわ……元気一杯ぞ。

こうした元気老人をこそ、働らかせてはどうや。もちろん、働らく以上、きちんと労働賃金は支払う。待遇も普通並みに。

どうしてそういうことを述べるかと言えば、現況を見兼《みか》ねてである。すなわち、一般に勤務先で続けられる年齢は、長くて七十歳までである。例えば、老生の場合、再雇用で同志社大学に勤務していたとき、たまたま最終年度が七十歳であった。ところがその年、講義がなんと削られた。なぜかと事務に問うと、文科省の〈お達《たっ》し〉で、その年度内において満七十歳以上となる者の場合、その年度の始めから講義担当はできないとのこと。

なるほど。しかし、そんな話、ついぞ聞いたことなんかなかった。けれども現実は現実。すなわち七十歳以上の者は、教壇での講義は、お上《かみ》が許さぬということぞ。それはすなわち、七十歳以上はポケモン、いやボケモンと、お上が認定しているということでもあるわな。

となると、他の職業はいざ知らず、研究職の場合、老生が訴えているような〈七十歳後の就職〉はできない。としても、非常勤講師としての担当は認めても良いのではなかろうか、と老友に言うと、なんと即答、大阪弁で「アカンわ」と来た。

「なんでやねん」と大阪弁で問い直すと、彼はこう言った。「いつまでもな、爺《じい》さんがな、ウロチョロしとったらな、後《あと》の者《もん》が困るがな。あんた、名誉教授の看板もろたやろ。それが手切れ金《きん》や」とな。

そっか。なるほど大学四年で二十一歳、現在の老生、数え年八十八歳であるから六十六年も歳が開いておる。これ、〈紅顔《こうがん》の美青年〉対〈醜顔《しゅうがん》の糞《ふん》老人〉――それではトンとお呼びはないわなあ。

さはさりながら、研究職というのは、特殊な職業でもあるから、ま、省《はぶ》くとしよう。そういった特殊な例を除いて、〈一般的に〉という目線で見てみると、七十歳――まだまだ働らける。

その昔、平均寿命が短かったころ、例えば江戸時代、四十歳で隠居であった。六十一歳の還暦は珍しく、つまりは、おめでたい。

しかし平均寿命が高くなった現代、七十歳は現役である。今どき、還暦の祝賀など身内だけで行なうようなものになっている。

というふうに、現代は、寿命が大きく伸びてきている。となると、早い話が、生活費の問題が出てくる。いや、もうそれは大きな問題となって出てきている。

すなわち、七十歳から八十台半《なか》ば、いや一般的には定年六十五歳とすれば、六十五歳から八十五歳までの二十年間において、一定の労働を行なう、いや行なえるように、社会さらには政治がなんらかの積極的関わりをするべきではなかろうか。

もちろん、高齢者には病気持ちが多い。あるいは、どういうわけか知らないが金満家もいる。そういう事情のある人は除こう。とすると、なんの根拠もないけれど、常識的感覚からすれば、労働可能老人は、同一年齢の半数ぐらいとなるであろう。

それらの老人に対して、ボランティアではなくて、正式に賃金を支払う仕事をしてもらってはどうか。もちろん、かつて得ていた月給の三分の一程度の給料ではあろう。しかし、年金がある。年金と賃金とを合算すれば、相当の金額になるだろう。プラスはそれだけではない。労働から得られる満足感や生き甲斐《がい》、そして冷静な立場からの知恵を若い人に与えることができよう。そういう人物に再出発の機会を作ることだ。古人曰く、賢《けん》〔人《じん》が〕有る〔の〕に、〔その人を〕用《もち》ひずんば、安《いず》くんぞ亡《ほろ》びざるを〔繁栄を〕得んや、と。

賢《けん》〔人《じん》が〕有る〔の〕に、〔その人を〕用《もち》ひずんば、
安《いず》くんぞ亡《ほろ》びざるを〔繁栄を〕得んや。
『晏子《あんし》春秋』内篇諫上
賢：すぐれた人物。
有：世に存在する。
用：任用する。
安……や：どうして滅ばないであろうか。

舌先三寸の「死刑廃止論者」

世の老人の口癖《くちぐせ》は、「昔は良かった」である。ほとんどの老人はこれに同意。しかし、昔は良かった――これ、本当なのだろうか。

昔も今も、犯罪は消えていない。犯罪ほどではないものの、いじめは昔も今もある。

では、昔は今よりも何が良かったというのであろうか。

老生、あれこれ思い巡《めぐ》らすに、気づいたことが一つあった。それは、秩序である。

この秩序にはいろいろあるが、次の二種に別《わ》けてみよう。すなわち（A）道徳的秩序と（B）法律的秩序とである。

この（A）・（B）の内、（B）だけはどのような時代・社会であってもほぼ同じ内容で保たれている。時の政権にとって、最も重要な統治手段であるからである。いわゆる司法である。

司法は、ふだんは表に出てこないが、いざとなれば容赦しない。一般人は、その強大な国家権力に対して勝つことはできない。だから一般人は、法律的秩序を守っておれば、まずは安心というものである。

ところが、近ごろになって、とんでもないのが出てきた。ある若い男である。

その男、新幹線に乗りこみ、自分とはまったく無縁の女性二人に凶器で襲いかかった。それを見た或る男性が止めようとしたところ、その男性を凶器で殺した。

この犯罪男、第一回公判で大要こう述べた。「刑務所で暮らしたいので殺人をした」と。

この犯罪者が何を考え、どういう者であるかを冷静に観《み》てみよう。

まず第一は、自分が起した事件の裁判において、結果として死刑にならないと確信している。これは、どこから来ているのか。

裁判における永山《ながやま》規準である。死刑の判決を下すには、二人以上の殺人が基本とのこと。つまり殺人が一人のとき、死刑にならない確率が高いのである。それを、この犯罪男は知っているのだ。だから、重罪を犯して重罰を受け刑務所での長暮《ながくら》しを期待しているのである。事実、検事の求刑も無期懲役。

この殺人者には、労働精神はない。おそらくどこに勤めても長くは続かなかったことであろう。その点、刑務所内では、安いとはいえ労働分に応じての金銭が与えられる。住まいは刑務所だから食費や家賃の心配はない。病気になれば、所内の医療所で医師が診てくれる。もちろん親の介護はしないまま。

この男、裁判においてこう言っている。自分は人間をみごとに殺し切りました、と。その殺人被害者は模範的社会人であり、人柄も立派。残された夫人と幼児とのことを思うと切ない。なぜ真《ま》っ当《とう》な人が殺され、刑務所入り志願などという下劣で、人間としてあるまじき発言を平然とする者が許されているのか、異常である。

老生、あえて言おう、こんな下劣な男、人間ではない。人豚だ。即刻死刑判決を、と。

そこで問いたい。死刑廃止論者に。こんな人豚に対してでも、死刑から救いたいのか、と。そして更に問いたい。その理由は何か、と。

その応答の際について一言。一切、観念論・一般論で答えるな。例えば、人の生命は何よりも重いといった類。そういうのではなくて、己れが実践している具体的な形で言え。例えば、それらの人豚どもを自分の家に引き取り更生させているとか。信念があるのなら、そのように具体的に答えられるはずだ。

おそらく一〇〇%そういう個別的実践はしていないことであろう。ただ口先だけで人の生命は重い、大切と言い、その延長線上、死刑廃止と言っているだけなのであろう。そういうのを舌先《したさき》三寸と言う。いわゆる口舌《くぜつ》の徒である。

かの人豚男は、演技して正常な人間でないことを示し、死刑を逃れ、いろいろ工夫をして刑務所入りを果すことであろう。その生活費・医療費等はすべて税金に依《よ》る。このような不徳な男に、天罰が下《くだ》ることを祈るのみ。

古人曰く、貨《か》（利益）の悖《もと》りて入る者、亦《ま》た〔同じく〕悖りて出づ、と。

> 貨《か》（利益）の悖《もと》りて入る者、
> 亦《ま》た〔同じく〕悖りて出づ。
> 『礼記』大学
>
> 貨：利益。
> 悖：不正で。
> 入：得る。
> 亦：同じく。
> 出：〔不正なので〕身につかない。

イスラム社会に倣《なら》い、〈仇討ち〉を合法化せよ

老生、呆《ぼ》けがますます進んだせいか、どうやら、世の中の仕組みがだんだん分らなくなりつつある。

森鷗外の作品——題名は失念。しかし名作名作、その中で役人が少女を取り調べた折、少女が発したことば、「お上《かみ》のなさることにまちがいはござりませぬ」、それを聞いて、心《しん》中《ちゅう》、狼狽《うろた》えるシーンがあったのを、今も鮮明に覚えている。

さすがは鷗外、少年時代に読んだ老生の頭に、しっかりと〈この世の闇〉を刻みつけてくれた。

さはさりながら、近ごろの裁判所、おかしくなってきたのではなかろうか。

と言うのは、産経新聞（二〇二〇年一月二十八日付）の記事として、地裁で殺人罪の被告に対して死刑と判決した事件の内、高裁において七件は死刑を破棄して無期懲役を言いわたしている。それを受けて、遺族の一人は「本日の判決にただただ驚き、絶望しました」

と述べたとのこと。同情してやまない。

地裁の死刑判決を退けた高裁の理由は共通している。すなわち、犯人に正常な人間としての責任能力がない、とする。つまり、犯行時、正常ではなかった、精神障害の影響を否定できない、というわけである。

愚かな話である。殺人を犯すとき、よほどの人を除いて、だれでも正常でなくなるわな。正常な精神状態で殺人などできるものか。

ところが、高裁の判事どもは、平然とそういうのである。これでは「お上のなさることにまちがいはございりませぬ」ということばの重みが消えていってしまう。

しかし、日本は法治国家である。法は法、愚かでもその高裁判決に従わざるをえない。

ではどうすべきか。

決っている。仇討《あだう》ちを新しく公認するべきである。と述べると、「御乱心《ごらんしん》」と老生を押えこむ人が出てくることであろう。

待たっしゃれ、呆けてはいるものの、まだ乱心してはおらぬぞよ、老生は。まずは、この老生の頑固一徹《がんこいってつ》の愚痴をお聞きあれ。

老生の友人に、人文地理学の学者先生がいる。仮にO氏としよう。このO氏は地球各地を巡り、知識・経験ともに豊富。

彼から、昔、こういう話を聞いた。イスラム教社会では、法は二本建てという。世界に近代国家として生きてゆく以上、一般的には、首相や議会等の一般人が作る法に従う。しかし、その一般法の上に、イスラム法があり、最終的にはそれに従う、とのこと。その根底には「眼には眼を、歯には歯を」という〈同害報復〉の規定がある。

例えば、殺人罪で起訴された人物Aに対して一般法に依り無期懲役の判決があっても、上位にあるイスラム法に従い、殺された人の親者は、渡された刃物でAの首筋に一回だけ切りつけることが許されているとのこと。Aは押えつけられているが、いやいやして暴れるらしい。もちろんAの首に対して親者はグサッと刃を入れていいのであるが、多くの場合、首筋に浅く刃を引いて傷を与える程度らしい。もちろん、それで報復の精神は守られたとするとのこと。

このイスラム法を参考にして、日本も殺人者なのに無期懲役刑に減刑された者に対して、親者は仇討ちができることを認めてはどうか。もちろん助太刀《すけだち》も認める。

理由は、イスラム法と同じく、日本では仇討ちという復讐が公認されていた長い歴史があったからである。これは日本人の心情に適《かな》っている。その方法の細かい点は、警察が起案して、正式に法律化するのがよい。

と書いてくると、何をバカなことをと言う人が出てくるだろうが、近代法はせいぜい明治以降のもの。仇討ちは、遙《はる》か古代から続いていた合理的〈同害報復〉法ではないか。もし仇討ちを嗤《わら》うならば、イスラム教徒にとって神聖なイスラム法を嗤えるのか。

古人曰く、平《たい》らかにして陂《かたむ》かざるはなし。往《ゆ》きて復《かえ》らざるはなし、と。

平《たい》らかにして陂《かたむ》かざるはなし。
往《ゆ》きて復《かえ》らざるはなし。
『周易《しゅうえき》（易経）』泰卦《たいか》
陂《かたむ》（坡）：川の土手のことだが、ななめ（斜）を表す。
＊その逆は必ずあることを言う。

死刑に反対なのか賛成なのか——安物インテリの典型

老生、時代遅れのガラパゴス人間。スマホなし、パソコンなし。すでに足は棺桶に突っこんでいるものの、この世には未練たっぷり、首から上だけは、まだ空中にあり。されば、できることはただ一つ、すなわち空中を通して人の悪口を言うことじゃ。

ということで、パラリ毎日新聞をめくると、青木某の「理の眼」というコラムが目に入った（大阪夕刊／二〇一八年八月一日付）。

過日のオウム真理教一統の死刑執行をテーマに書いておったわ。なんと、死刑執行は「人殺し」であり、日本人全員がそれを執行したことになる、と。

思わず大阪弁が出た、アホとちゃうか、このオッサン、と。日本は法治国家であり、その法治を維持するための巨大官僚組織を持っている。そして各部署で法の厳正な執行をしているからこそ、安定した国家となっているのである。

死刑執行に直接関わる刑務官は、その執行時はつらい気持になるであろう。しかし、それは断じて「人殺し」ではない。日本国の法秩序を維持する崇高《すうこう》な任務の遂行なのである。死刑を執行する刑務官に対して、日本国民は、崇敬と感謝の気持とを抱いている。

にもかかわらず、青木某は、取材した元刑務官が「所詮は人殺しだから」と発したことばだけを元にして死刑について考え、拡大解釈して日本人全員が「人殺し」をしているというふうな話を造り出している。

ならば、それも良し、〈日本人全員が人殺し〉の論理をさらに展開するかと思えば、然《さ》にあらず、なんと取《と》って附《つ》けたように、他人の生命を奪った死刑囚は死をもって償《つぐな》うべきという〈理屈〉が跳ね返ってきて「僕たちに突き刺さります。それが死刑という刑罰の矛盾なのです」と結ぶ。

何や、このオッサン、死刑廃止かい、いやそのままなんかい、ドッチャネン（どちらなのか）、という大阪弁がまた出た。

この論脈、これは日本の安物インテリの文章の典型である。だれが何と言おうと、自分の意見（死刑廃止）はこうだと貫ぬく姿勢がない。青木某のコラムの論調からすれば、死刑廃止の主張であるべきなのに、それを徹底しない。多分、なにかに怯《おび》えて、死刑支持もありとし、その両者（死刑廃止・死刑支持）を並べて〈矛盾〉と他人事《ひとごと》のようなことばで結んでいる。

そこには、主体というものがない。在《あ》るものは、フワフワとしたことば遊びであり、死刑廃止派であるにもかかわらず、己れは毎日新聞読者中の大量の死刑支持者の御機嫌を取っての文章となっている。

あえて言えば、新聞読者中の死刑支持者の強烈な批判、延《ひ》いては、コラム担当罷免《ひめん》の憂《う》き目《め》を見ぬよう、忖度《そんたく》したか。

どちらにしても腰が引けておる。矛盾があるならばあるとして、ではどうすべきかを堂々と述べてこそ、物書きというものであろう。

と書いてきて、ふと思った。青木某にはもともと死刑についての自己の独自の意見というようなものはなかったのではないか、と。

もしあるのであれば、オウム真理教幹部の大量死刑執行という、いわば時事種を介して自己の意見をとことん述べることができたではないか。

しかし、徹底して死刑廃止を述べることをしないでいる。もし死刑反対、すなわちオウム真理教幹部の死刑反対を叫ぶとするならば、おそらく青木某は、オウム一派に由《よ》る被害者たち（もちろん死者を含む）の遺族・諸関係者から徹底批判を受けることになるであろう。その厳しさに青木某は耐えられるであろうか。老生、疑問に思っている。

要は、その時の強い者にくっつくという姿勢が見え見えなのである。そういう柔《やわ》な精神でジャーナリストが務まるのか。

古人曰く、勢《いきほ》ひを以《もっ》て交《まじ》はる者は、勢ひ傾けば、則ち絶《た》つ、と。

勢《いきほ》ひを以《もっ》て交《まじ》はる者は、
勢ひ傾けば、則ち絶《た》つ。
『文中子』礼楽
勢：相手の権勢。
絶：逃げ出す。交わりを絶つ。

第二章

教育こそ国家の要《かなめ》

「国防」にもつながる本質的「学制改革」こそ国家百年の計

老生、この世では余計者、無用者。老残の日々、この世に御迷惑をおかけ申しあげ続きのやくざ者。

それだけに、逆に御免なすってと仁義を切れば、天下御免の殴りこみは許されよう。

老生、もとより保守伝統派。自民党政権を支持している。しかし、宜《よろ》しくない点は宜しくないと言う。その近ごろの宜しくないものの第一は、日本での就労外国人の受け入れ拡大の法制化である。

メディアの伝えるところでは、経済界の要求が強く、それに対応しての話とのこと。

しかし、彼ら経済人は労働者不足と言うが、根本的に誤っている。まずそれを述べたい。いったい拡大枠労働者とは何か。

その核は肉体労働者とサービス従業者とである。これを見れば、大凡《おおよそ》の見当はつく。

現在、日本に肉体労働者やサービス従業者の候補者は実は山ほどいるのである。そこらにいるのに、それが見えていない。

　思いきって言おう。本来なら、肉体労働やサービス業等に進んで幸福な生活ができる者の大半が、なんと高校や大学に進学して不幸となってしまっているのである。

　見よ、高校や大学の学力の実態を。例えば大阪府の高校入試の場合、トップ高の北野高・天王寺高等の場合、百点満点で九十七、八点を取らねば合格できない。一方、同じ入試問題百点満点で七、八点で合格できる高校がかなりある。

　つまり本来ならば、義務教育を受けたあと、高校進学などせずに実社会の肉体労働等の仕事に進み、技術をしっかり身につけると、一生、食べてゆける者が多いのである。にもかかわらず高校進学をしている。そして悲劇が待っている。国数社理英――中身が分らない。そのため、高卒で就職しようとしても使いものにならない。やむをえず、なんと大学へ進学する。学生不足の大学ならフリーパスで入学できる。そして四年、ほとんど無為のまま、なんの技術も知識もないのが〈事務職〉に就き、そこから不幸な人生が始まる。

　なぜか。答は明らか。無能な事務職員に待っているものは、いつの日かの首切り。そして、その中の何割かがひきこもりとなるだろう。

　このような不幸な人生を歩む予備軍を作っているのが、現在の高校や大学の大半なのである。

ならば、本来、高校や大学へ進学の要がない中学卒業生に対して、文科省は新しい形の一年で諸技術を学べる技術学校を作り（高校に併設してもいい）、肉体労働技術を身につけさせて世に送り出せば、外国人労働者を日本に入れる必要などなくなるではないか。

そういう自主的な努力を、文科省も経団連もなぜしないのか。百年の計をもってこの問題に当れ。

老生のこの提案、賛成しても実現するには、時間がかかるであろう。そこでさしあたりの問題として、新提案がある。

新規入国の外国人ならびにすでに在住の外国人に対して、彼らの安全を日本が担っている以上、彼らから所得税等の課税とは別に、〈国防税〉として、年間二十万円を徴収してはどうか。仮に二百万人いるとすれば、四千億円。この税金を使って、徹底監視する。

こうした国防税は、現行前例がある。スイスは外国人の長期滞在に対して、この国防税を課している。一人につき、日本円で三十万円ぐらいと聞いている。

もちろん、この国防税を支払わない不良外国人は、それを理由に、直ちに強制送還することだ。それが別の意味の〈国防〉となる。

このように、外国人労働者に対しては厳しく管理することである。その間、日本においては、前記のような学制改革——形式的学歴などではなくて、人間の本質的能力に基づく学制改革をすることである。それが政治家にとって最も必要な〈百年の計〉である。

古人曰く、規《き》・矩《く》を以《もっ》てせざれば、方《ほう》・円《えん》を成《な》す能《あた》はず、と。

> 規《き》・矩《く》を以《もっ》てせざれば、
> 方《ほう》・円《えん》を成《な》す能《あた》はず。
> 『孟子』離婁《りろう》上
>
> 規：コンパス。
> 矩：定規。
> 以：使う。
> 方：四角形。
> 円：円形。
> 成：完成する。

教科書とは文科省が創作した物語の世界か

コロナ災厄――家にひきこもっての毎日、テレビで往年の映画を観る生活。それも老生一人で。家内は老生など相手にもせぬわ。

そのような日々、やや飽きが来ていたところに気になる記事が眼に入った。すなわち新教科書検定においての不合格というニュース。もともとは、二〇二〇年三月末の話であったが、その中身のいくつかが近ごろ表面化してきた。

それらの記事を読むうちに、漢文屋の老生の立場から見て、それはない、と思うものがあったので、それについて述べたい。

今回、不合格となった歴史教科書の内、自由社が編集したもの（以下、自由社本と記す）は、なんと前回は合格とのこと。にもかかわらず、今回、不合格とされた個所には、簡単なその理由が示されている。

もちろん、その理由は公的なものであるから、老生ごときも日本人としてそれについて論じることは許される。のみならず、老生の疑問に対して、文科省は整然とした返答をすべきであろう。いや、なすべきである。

さて、疑問点と言えば、まずは「魏志倭人伝《ぎしわじんでん》」ということばである。自由社本も同じく「魏志倭人伝」と記しているが、それに対して教科書検定担当者は何も文句をつけていない。おそらく自由社本以外の検定合格本に対しても同様であろう。だから、学校では「魏志倭人伝」と教えている。

しかし、「魏志」と称する文献など存在しない。在るのは「魏書」である。同じく「蜀書」「呉書」が存在し、後にその三書を併せて、さらに「三国志」と冠したまでである。

また、「倭人伝」という分別された「伝」など存在しない。在るのは「東夷《とうい》」（俗に東夷伝）の中の一つ。だから、記すとすれば、『三国志』「魏書」東夷〈伝〉〈倭人の項〉である。それを略して「魏志倭人伝」とは、実体を無視した誤まった表記である。

とすれば、日本における現行の歴史教科書の同項は、すべて改善・改訂すべきである。

こうした問題点は、歴史教科書全体の問題であるから、今は暫《しば》らく措《お》くとして、個別的な誤まった検定の一つについて述べる。

すなわち、仁徳陵《にんとくりょう》に関してであるが、仁徳陵について、自由社本が「祀《まつ》られている」と表記したことに対して、検定側は「生徒が誤解するおそれがある」からだめだとして、「葬られている」が正しいと言っているとのこと。

これには驚いた。検定側が「葬」の意味が分っていないことに対してである。「葬られている」で終りではない。遺体は葬ってから、祀るのである。一神教系は土葬して縁者・知人がその墓を訪れて祈る。唯一神以外は祈れないから、偲《しの》ぶ。

しかしこれは、己れの心中で亡き人を祀っていることだ。インドは墓がなく祀ることはない。われわれ儒教文化圏では、墓に遺体を納めた後、命日はもちろんのこと常に死者に祈りの気持を持つ。すなわち祀り続けているのである。

仁徳陵の現地に行って見るがいい。観光的にぶらぶら歩いている者も多いが、心ある人は、正面において一礼しているではないか。それは、日本人ならば、亡き方を偲んでの、自然な作法である。むしろ進んで、自然な祀りとなっている。これこそ、われわれ日本人が大切にしなければならない作法である。

生徒たちを引率して仁徳陵に至り、「はい、仁徳天皇を葬っています」で終りというのならば、それは教養教育ではなくて、単なる物知り（それも初歩的な安物の）教育にすぎないではないか。

もっとも、祀りの心を非難し、〈仁徳陵は仁徳天皇の葬所としてだけ教えよ〉となると、逆にそれこそ大問題となる。と言うのは、いわゆる仁徳陵に、本当に仁徳天皇が葬られているという実証はないからである。いわば伝承。それを〈事実〉とせよとなると文科省が作った物語の世界と化す。それが公的検定なのか。

古人曰く、一言《いちごん》〔を聞くだけで〕以《もっ》て〔相手を〕知《ち》〔者〕と為《な》し、一言　以て不知《ふち》と為す、と。

一言《いちごん》〔を聞くだけで〕以《もっ》て〔相手を〕知《ち》〔者〕と為《な》し、
一言　以て不知《ふち》と為す。

『論語』子張

一言：一言《ひとこと》聞くこと。
知：知者。
為：判断する。
不知：愚《おろ》か者。

自国の歴史・文化を忘れた〈猿真似〉九月入学論

新型コロナウイルスが世界中に蔓延《まんえん》し、諸国はその対策に追われているが、ワクチンができるまで、これという方法はない。

その中で、できることと言えば、コロナ禍に対応する行政の新展開であろう。

その一つとして、突如、浮上してきたのが、九月入学論である。学校がコロナ禍を避けて、二〇二〇年三月以来、この五月末まで休校となっていたことなどに対する解決案としてである。

この九月入学論者は、そのメリットを述べていたが、その最たるものは、海外特に欧米の学校制度が九月入学であるので、それに合わせるのが合理的ときた。

老生、こうした愚論を聞き、これは黙っておれぬと思った。明治の初め、諸制度を欧米に見習った時代ならばともかく、すでに日本国として定着した学校制度をなぜ急に改変しようとするのであろうか。

その他、次から次へと出てくる愚案の中に、このコロナ騒ぎで学年が複雑になるのを防ぐために、しばらく新入生を〈ゼロ年生〉と呼ぼうなどという案も出てきたらしい。〈ゼロ年生〉――え、これは何物。幼稚園年長児は、来たる四月に小学校に入学し、希望に燃えて一年生となるのである。だから彼らは「一年生になったら」と大声で楽しく唱《うた》っているわけである。それをこう唱えと言うのか、〈ゼロ年生になったら〉と。世も末である。そこには一番大切な〈明るい希望〉がまったくないではないか。

では最終学校となる大学の新卒業生にとってはどうなのであろうか。

三月卒業、しかし例えばアメリカは九月始まりだから、留学の場合、約半年の空白がある。もし日本が八月卒業、九月入学なら空白がなく好都合である等々と得意気に言う。

愚かな話である。八月卒業してすぐアメリカで九月入学したとしよう。しかし、微少の例を除いて、ほとんど大半の日本人留学生は、どんなに英語が得意な者でも、大学の講義を聞いてまったく分らない。内容ではなくて、英語自体つまり音声がである。絶望的と言っていい。

ならば、日本で三月に卒業後、九月まで英語のヒアリングの猛特訓を受けることだ。もちろんアメリカ人講師と一対一で。半年の猛特訓で、アメリカの大学における英語講義の一割あたりは分るようになれようか。軽々と日本で卒業の翌月アメリカへなどと言うな。もっと現実をしっかと見てからものを言え。

日本における欧米猿真似は明治維新に始まったが、本質的なところの真似はしていない。九月入学を主張するなら、教育のありかたの本質もしっかと猿真似すべきである。

それは、個人主義・能力主義である。それを表わすのが給料。九月入学そして六月卒業の場合、七月分・八月分は夏休みで講義担当はないので、給料は、なしである。

老生、台湾に留学したとき、向うの教員らと親しくなったが、六月ごろ、彼らはなんとなくそわそわして落ちつきがない。

そのわけが分った。一年契約であるが六月で終り。そこで次の九月から一年分（実質は六月まで）の契約書（中国語では聘書《ピンシュー》）が自分に六月内に来るかどうかでやきもきしていたわけ。能力主義のこの方式は契約社会であるアメリカの大学の物真似。

しかし日本は、この個人主義・契約主義を採らず、一族主義・終身雇用主義で来ていたので、七月八月の夏休みも給与を支払ってきている。もし九月入学を主張するなら、教員を個人主義・能力主義の下、六月卒業後、七・八両月の給与はなしということとセットで主張すべきであろう。

物事の背景には、それぞれの国の考えかたや感覚といった面の独自の歴史・文化がある。それを抜きにしての〈猿真似〉の九月入学にするなど、百害あって一理なしと、老生は遠くから嗤《わら》っている。

古人曰く、虎《とら》を画《えが》かんとして、成《な》らず。反《かえ》って狗《いぬ》に類《るい》する者《もの》なり、と。

虎《とら》を画《えが》かんとして、成《な》らず。
反《かえ》って狗《いぬ》に類する者《もの》なり。
『後漢書《ごかんじょ》』馬援《ばえん》伝
成：できあがる。
反：反対に。
狗：犬。
類：似る。

子供向けの中国古典入門書に涙

老生、もはや役立たずの呆《ぼ》け老人であるが、時々は御用《ごよう》を仰《おお》せ付《つ》かることがある。ま、「昔の名前で出ています」というところか。

さてそれは、某出版社からの御用である。或る有名本をアニメのタッチで作るので、その監修をせよ、と来た。

この呆け老人に、そのような今風のドンチャンガラチャンなどに関わらせるのは奇妙《おかし》いはずなのであるが、老生が専門とする中国思想・中国古典学に関わるという赤い糸を絶ち切れず、恐る恐る承諾した。

さはさりながら、生来、気が小さく、しかし見栄っ張りの老生、その予備学習すなわち予習をすることにした。

そこで一計を案じた。孫どもの内から高校生を選び出し、アニメの紹介を全体にわたってしろ、と。もちろん小遣《こづか》い付き。彼らは、ほいほい。

ということで、大阪では一、二を争う大書店のアニメコーナー、いや小中高生書籍コーナーへと乗りこんだ。

まずは驚いた。いや、大驚した。小中高生の学習書は別として、彼らのためのアニメ読物の圧倒的大量に、である。そのスペースの広いこと。書店用の大きな本棚五面、表裏合わせて十面、それが左右にあって、その間の通り道の長さは二十メートルもあろうか。しかし、それは一ブロックにすぎない。同様の形式のブロックが次々と連なっている。そのすべてがアニメ本である。腰が抜けたわ。

今は、そういう時代なのか。文字だけが詰まっている本は、どうやら少年少女たちにはお呼びでないことを、しかとこの眼で見た。

さりながら、それを非難する気はない。どこかの先生のように、文字有る本を読め、などと偉そうに言う気はない。なぜか。

決っている。文字よりも絵のほうが分りやすいからである。顧《かえり》みれば、老生の小学生のころ、確かに文字本を読んでいた。それしかなかったからであるが、その少年少女用の文字本の中に、ときどき絵が入っていた。そのスターは猿飛佐助《さるとびさすけ》であり、その顔は今も覚えている。遡《さかのぼ》って江戸時代、絵入り本は数多くあった。大人用も多かった。

そのルーツは絵巻物だっただろう。仲間が集まり、皆の座っている前で、さっと絵巻物を投げて広げ、順を追っての物語――まさに物語ってゆく名手がいたことだろう。その〈物語り〉朗読に長《た》けた人のまわりに人々が集まり、或るときは合戦に、或るときは失恋に、また或るときは友との別れに……人々は感動していたことだろう。

その現代版がアニメ作品ということか。ならばアニメも悪くない。と思いつつ書棚をずーっと見てゆくと、文字が中心の書籍も置かれている。その際、徹底的に振り仮名を付けている。それは絵の代りとなっている。

そういう振り仮名本の形で、かなり水準の高い本もある。なんと中国古典本もあるではないか。驚いた、少年少女に読ませるとは。

それらを見ると、『論語』に始まり、さまざまに在《あ》る。その中に、なんと『易《えき》』があるではないか。われわれ中国古典学業界には大昔から有名なジンクスがある。「易と説文《せつもん》（漢字のルーツ本）とには手を出すな」と。

これは『易』・『説文解字《かいじ》』は解釈の説が多様で泥沼に入ってしまうので危険、の意。

しかし、竹村亞希子《あきこ》・都築佳つ良《つづきかつら》『易経』（新泉社）が、でんと座っている。おう、と手にした。惹句《じゃっく》――キャッチフレーズは「こどもと読む東洋哲学・中国古典『易経』の超入門書」と来た。これを買わずにおれようか。この中国古典老学者をホロッとさせてくれたからじゃ。

と言うのも、中国古典学不振の近ごろ、その将来を思い、涙もろくなってきておる折、この応援団は嬉しいわのう。

少年少女諸君に、こうした入門書から中国古典に関心を持っていただきたいものである。

古人曰く、君子は、安《やす》きにして〔も〕、危《あや》ふきを忘れず、存《そん》して〔も〕亡《ぼう》を忘れず、治《ち》にして乱《らん》を忘れず、と。

> 君子は、安《やす》きにして〔も〕、危《あや》ふきを忘れず、存《そん》して〔も〕亡《ぼう》を忘れず、治《ち》にして乱《らん》を忘れず。
>
> 『易経』繋辞伝下
>
> 安…安全。
> 存…安定。
> 治…安泰。

「教育を受ける権利」は人それぞれ

老生、数え年八十八歳を迎えた。めでたくもあり、めでたくもなし、というところ。

今は、それこそ自由気儘《きまま》な日々、茅屋《ぼうおく》で読み落した書籍を散読、聞ゆるは演歌また演歌。こういう無用の老人こそ世間様の迷惑か。

さりながら、思わぬ獲物もある。日本の敗戦後、勝者の米軍が押しつけた日本国憲法を眺めていて、ここだな、と思った。それは、第二十六条一項「すべて国民は、法律の定めるところにより、その能力に応じて、ひとしく教育を受ける権利を有する」である。

世の左翼運動家は、この条文の内、「その能力に応じて」を故意に削り、「すべて国民は……ひとしく教育を受ける権利を有する」として、教育に関して彼らの運動を推進してきた。しかも憲法遵守《じゅんしゅ》の旗を翳《かざ》して。水戸黄門さまの葵《あおい》の印籠を持ったのである。

しかし、この広い意味での改竄《かいざん》が、日本の教育を破壊し尽してきたのではなかろうか。

それは、こうである。

明治維新以後、日本国の近代化はすさまじいエネルギーの爆発の内に進んでいった。それが東アジア地域において突出していたことは、歴史の示すとおりである。

その推進力の一つとなったのが、公立私立を問わず大学であったことは言うまでもない。続いて諸教育機関が生れてゆき、多くの人材を世に送り出した。

その際、二つの問題点があった。

一つは、そうした教育機関の出身者は、エリートとなった。

いま一つは、高等教育機関どころか、小学校への進学もままならなかった人々がいた。始まった当時は授業料が必要であり、貧しい家では、その負担に堪《た》えられなかった。まして小学校の次の中学校進学など夢であり、家庭内の雰囲気は、学校などに行かずに働らけというようなものであった。

そういう常況であったから、圧倒的多数の貧しい人々にとって学歴は夢であった。

大正のはじめごろでも、中学校（今の高校）進学者は、男子全体の七％ぐらいであった。因《ちな》みに、老生が大学受験をした昭和三十年のころ、大学進学者は、なんと同じく七％。

というような状況であったが、昭和二十年代前期に始まるいわゆる〈団塊《だんかい》の世代〉が、社会一般におけるそれまでの高学歴羨望《せんぼう》とつながり、上級学校進学への爆発となった。そしてそれが続き、今日に至っている。

そうした進学ゲーム？　を強力に後押ししたのが、「すべて国民は……ひとしく教育を受ける権利を有する」という迷文句であったのではなかろうか。「その能力に応じて」というアメリカ流の能力主義など、日本人の感覚に合うわけがない。あの人も進学している、この人も進学している、みんな同じ人間よ、それならわたしも……というのが本音。自己責任といったものは見えない。

その結果か、自立できない泣き言《ごと》を言うのが出てくるようになる。

例えば、毎日新聞（二〇二一年三月三十日付）にこういう記事があった。短大卒業後、非正規雇用で働らいてきた女性（四十二歳）がコロナ禍の中、職を失ない、今、百三円しかない、二週間がカップ麺、と取材記者に訴え、だれも自分を助けてくれないと言っている。

老生、まったく同情しない。それまでどういう人生を送ってきたのか。助けてくれる一族も友人もいないのか。短大で何を学んだのか。記事の文面からは、人生を真剣に生きようとする気構えや、職業訓練所に通って世間に通用する資格取得への意欲……等々、人生を生きる意欲がまったく見えない。何のために上級学校へ進学したのか。

「その能力に応じて」高校卒業後は就職すべきであっただろう。そうすれば、この人に小さいながらも幸せが訪れたことだろうに。

　古人曰く、是《こ》れ猶《なお》〔乗るのではなくて〕車《くるま》を陸《くが》に〔ただ〕推《お》すがごとし。労《ろう》すれども功《こう》　無《な》し、と。

是《こ》れ猶《なお》〔乗るのではなくて〕
車《くるま》を陸《くが》に〔ただ〕推《お》すがごとし。
労《ろう》すれども　功《こう》　無《な》し。

『荘子』天運

〔話のはじめ〕車を動かす力量がないので。
陸：地上。
労：働らく。
功：成果

漢文を知らず歴史的視点も持たぬ楽天・三木谷浩史

老人は、暇《ひま》である。老生もその一人。となると、その暇つぶしを心配してくれてか、近所の老人クラブから時々案内パンフレットが来る。ありがたいことだが、御心配御無用。老生の暇つぶしは、近所の医院通いじゃ。と書き記すと、赤字の健康保険をムダ使いしていると叱られよう。いやいや、この医院通いの費用は健保証内で納《おさ》まっておるわ。しかも、この医院通いは、楽しくってしかたがなく、健康増進になっておるぞよ。

なぜか。こういう理由。医院が患者用に週刊誌を購入している。それを読みに行くのよ。二個所の医院で、『週刊文春』『週刊新潮』をほぼ毎号読んでおるわ。プラス女性週刊誌を約四誌。合わせて毎週六冊、タダ読みよ。

いやいや、二医院へは二週間ごとなので、忙《いそが》しい、忙《せわ》しいのう、貧乏老人は。

さて、その患者用週刊誌を読む中で、まったく許せぬ内容があったので、一筆。

三木谷浩史（楽天《らくてん》グループ代表）の「未来」というコラム。題して「僕が経験した日米

の学校教育」（『週刊文春』二〇二二年三月三十一日号）。

内容はこうだ。まずアメリカの教育をべた褒め。「国として論理的思考力を重視し、最低限の語学力と理数系の能力を培《つちか》おうという方向性がある」と。

一方、日本では「〈いいくに作ろう鎌倉幕府〉と、語呂合わせで年号を覚えさせるような教育だ」と言い、「鎌倉幕府が成立した時代背景、その中世の社会の特色や価値観などを学び」どう考えるかというような問いかけはない、とボロクソ。

これを読んで、老生、久しぶりに嗤《わら》った。モノを知らぬ楽人《らくじん》（暇人）じゃのうと。よいかの、鎌倉幕府開幕の一一九二《いいくに》年のとき、アメリカなんざ、まだなかったわ。一七〇年あたりにやっと生れた最近の国。年号なんぞお勉強しなくともすむのよ。

欧米人ら狩猟民族系の連中は、個人能力が重視される。その中からリーダーが生れる。部下を率《ひき》いる屁理屈《へりくつ》（屁論理）も上手になる。その大目的は、他者、他国を征服することだ。狩猟の腕が鳴る、というわけだ。

そのような価値観が刷《す》りこまれており、その中から個人主義というものが生れ、それに基づく教育が行なわれているだけのこと。

日本は、農耕民族。一族（家族）が団結して行動する。思考もそれに連動する。例えば、今日、大企業は大利益を得ているのに内部留保していると批判するのは〈欧米経済学で育った連中〉の意見。そうではない。農耕民族は、災害や飢饉《ききん》や疫病などに備え、食糧等を備蓄する。これがお家《いえ》（本家・勤め先）大事の意識となり、現代では内部留保となっているまでのこと。これは一族（家族）主義。

狩猟民族系の代表がアメリカ、農耕民族系の代表が日本。そういう大局的、歴史的な視点を持たなければ、それぞれの国の意識や教育観など分らない。形式だけを見てアメリカを模倣するのは、愚の骨頂。

話は、大きくはそれで終るのだが、見過ごすわけにはゆかぬ文がある。すなわち三木谷某は、日本の教育内容を批判し否定して、このように言う。「中国人でも読まないような漢文をレ点や一二点をつけて読解することに何の意味があるのか……グローバル競争が激化する時代、求められるのは、『論理的思考力』に他ならない」と。

この個所を読み、老生、思わず天を仰いで歎息《たんそく》した。この人、古典の意味はおろか、レ点（正しくは雁点《かりがね》という）の役割について無知ということを知った。この雁点がそこに付けられているという事を通して、生徒がその該当個所の意味を正確に理解することができる。すなわち文に対する論理的把握を具体的に訓練することができるのだ。

漢文読みの人生であった老生、漢文の何かも分らず誹謗《ひぼう》する輩《やから》は、絶対に許せぬわ。古人曰く、楽《がく》盈《み》ちて〔大本《おおもと》に〕反《かへ》らざれば、則《すなわ》ち〔放漫に演じ、本来から〕放《はな》つ、と。

楽《がく》盈《み》ちて〔大本《おおもと》に〕反《かへ》らざれば、
則《すなわ》ち〔放漫に演じ、本来から〕放《はな》つ。

『礼記』楽記

盈：音楽が最高潮になると自演（ライブ）したくなる危険がある。
反：正調にもどる。
放：しまりがない。

第三章

病める学界

山折哲雄よ、「感ずる宗教」とは何ごとか

安倍晋三元総理の無念の死から時は流れ、まもなく一年となる。人の心もやや落ち着いたか、事件の大因であった宗教問題について論じ始めつつある。

例えば、産経新聞（朝刊／二〇二二年九月二十五日付）は、「論点直言」というコラムにおいて、〈旧統一教会と「信教の自由」〉というテーマの下で、二人の宗教研究者の見解を載せている。

ところが驚いた。その一人の山折哲雄は、旧統一教会の宗教性を深く掘りさげず、日本における明治維新以後の諸宗教について大雑把《おおざっぱ》に概説して、それで終っている。

しかも、一神教（例えばキリスト教）のような「信ずる宗教」と、多神教（日本列島に根づく諸宗教）のような「感ずる宗教」と、という大別を行ない、日本ではこの「感ずる宗教」の重要性を大切にせよと言う。

そしてこう結論する。引用すると〈「感ずる宗教」に内在する可能性に着目し、日本人

の最も深いところに流れている宗教、すなわち先祖の前で身を慎んで暮らす道徳観の重要性を、改めて考えるときが来ているのではないだろうか〉と。

老生、唖然《あぜん》とした。祖先を大切にして敬《うや》まい、その祭祀を怠《おこ》たらない——この祖先祭祀は、日本だけではない。東北アジア（中国・朝鮮半島・日本等）全体において共通する宗教ではないのか。その宗教性を理解できておらず、「道徳観」と誤解までしている。

あえて記そう、キリスト教派は、宗教には序列があると独断し、まず一神教（キリスト教など）、次に多神教、次いでシャーマニズム（霊降ろし）等、最下は山や海などを崇《あが》める自然崇拝、とする。

要するに、キリスト教徒らは自分らが最上だという理屈。その屁理屈を最高の真理と思いこんだのが、欧米留学をした明治の日本人たちだった。彼らは、帰国後、この宗教ランキングを日本全国に説いて回ったのである。

それがいつのまにやら宗教学のイロハとなり、純情な日本人インテリ（欧米崇拝派）が日本国中にそれをさらに広めていった。

そうした明治以来のキリスト教派の〈宗教学〉に、現代日本の宗教学者の大半が、いまだに従い、鸚鵡返《おうむがえ》ししている。情けない。

学者と称するならば、要《かなめ》は自分の頭で考えろ。と言うと、お前はどうなんだ、と来るだろう。待ってました、こうだ。

根本は〈宗教の定義〉である。数百を超える定義群があるが、ほとんどがキリスト教的。絶対者を置き信ずる。みな似たり寄ったり。

そこで老生、こうした。方法論が第一であると。そこで宗教のみが扱える対象以外を除いていった。例えば、数計算法とか、生物飼育とか、ダンスとか……と。すると残った領域は唯一、すなわち死および死後のみであった。そこで老生、こう定義した。「宗教とは死および死後の説明者である」と。

となると、諸宗教間において上下などはなくなる。また人間は自分にとって最も納得できる「死および死後の説明」を選べる。

もちろん、その背後に歴史があることは言うまでもない。東北アジアにおいて、人々に対して最も納得のゆく〈死および死後〉の説明は、祖先の存在、そして祖先から続く自己との関係であった。すなわち、己れの存在の背後に長い生命の歴史があり、その〈生命の連続〉を信ずることによって、生きてあることの意味や価値を大悟《たいご》する。その様式化されたものが〈祖先崇拝〉である。そしてこの祖先祭祀についての理論づけをしたものこそ、

〈儒教〉なのである。当然、儒教は宗教であり、東北アジアの人々の精神を形成してきた。

これが加地学説。果して山折某はそうした拙論を読んだのか。「感ずる宗教」などというチャチな感想を出す前に、例えば老生のそれこそ生命を懸けた研究結果を精読してから宗教について発言すべきであろう。

古人曰く、道に聴きて〔そのまま〕塗《みち》に説《と》くは、徳を〔自分から進んで〕之《こ》れ棄《す》つるなり、と。

道に聴きて〔そのまま〕塗《みち》に説《と》くは、
徳を〔自分から進んで〕之《こ》れ棄《す》つるなり。
『論語』陽貨《ようか》

道に……説くは…受け売りをするのは無責任であって。
徳を………自分で不道徳となる。

日本学術会議とその取り巻きどもよ、「学問の自由」と安っぽく言うな

コロナ騒動で、彼岸《ひがん》の世界へどころか、世に無用の老生、此岸《しがん》の中でうろうろの日々。茫然《ぼうぜん》、いや呆然《ぼうぜん》と電気紙芝居のテレビをあれこれ観ておるわ。

その中で、一つの事件を知った。自民党の杉田水脈《みお》衆院議員が「女はいくらでもウソをつける」と発言したという。同感。それにこう続く、「男はもっとウソをつく」とな。

ところが、これは女性差別だと抗議を受けているとのこと。

しかし、もしこれが女性差別とするならば、相当数の古典が差別発言をしていることになるだろう。そこで、和・唐《から》・天竺《てんじく》、すなわち日本・中国・印度における古典を覗《のぞ》いてみよう。すごいぞ。

日本では、例えば『好色五人女』に「とかく女は化物」とある。

中国では、例えば『史記』陳平世家《ちんぺいせいか》に「児《じ》・婦人の口（発言）用ふべからず」と。

印度では、例えば『華厳経《けごんきょう》』に「女人《にょにん》は地獄の使《つかい》なれば、能《よ》く仏の種子を断つ。外面《げめん》

〔は〕菩薩《ぼさつ》に似て、内心〔は〕夜叉《やしゃ》のごとし」と。

右の三作品とも、だれでもすぐ入手できる。それを野放しにしてよいのか。差別、差別、女性差別と言うのならば、そういう作品をなぜ禁書にしないのか。

もちろんその理由を論理的に説明すべきである。そして、この三作品が差別発言でないとするならば、なぜ杉田発言が差別発言となるのか、その相違を論ずべきである。

もし『好色五人女』『史記』『華厳経』を禁書にする発言をし、禁書へと実質化したとするならば、つまりは、広く古典の禁書化を図るとするならば、それは、秦王朝の始皇帝が行なった焚書《ふんしょ》と同じではないか。また右のような古典を大切にする老生のような老儒の発言を封じ、果ては総合的に抹殺《まっさつ》すると言うのならば、それは、坑儒《こうじゅ》（儒者を坑《あな》に埋めて殺す）と同じではないか。現代における焚書坑儒というところである。

と書き記しているところへ新聞にニュースが出てきた。それは、日本学術会議に関する人事問題。同会員の改選期に当り、新メンバー候補者を管轄機関の内閣府に推薦したところ、六人については認めなかったとのこと。

そこで騒ぎとなった。いつもならばフリーパスなのに、なぜ今回は、ということで。しかもなんと、すぐさまデモ隊まで出てきた。

この時点で、老生思った、あ、やっぱりと。すなわち左筋の合同演習である。それは、前述の杉田発言に対する騒ぎかたと同じである、本質は。

すなわち、論理で勝てない自分たちの弱点をカバーするために、多くの人数を繰り出して威圧するという幼児的行動である。

彼らが騒ぐ理由を聞いて呆れた。任命されなかった六人は、政府批判者が多く、そのためであろう、とまず言う。その話、ウソか本当か知らないが、ま、それは一応聞いておこう。その次が問題。連中はこう言う、学問の自由が奪われた、と。

これに対して、老生の第一声はこうだ、あえて大阪弁で言おう、アホとちゃうか、と。学問の自由を奪うとはこうだ、中国政府が今まさに行なっていること。すなわち反政府的学者は逮捕し、形ばかりのいい加減な裁判をし、終身禁固や重労働を科す。

しかし日本では、今回、任命されなかった六人の、所属大学における地位は、まったく揺るがない。その所属する大学に対して、政府は彼らに圧力を加えることは〈できない〉のである。学説の禁止もまったくない。それで何が学問の自由を侵したことになるのか、詳細に論じてみよ。できるのか。できないと断じておこう。

〈学問の自由、研究の自由〉と安っぽく言うな。学問・研究の自由は、そこらに標札風に

ぶらさげられているものではない。団体ではなくて、研究者個人個人が身体を張って研究
時に真実を求めて行為するときに、自らが形成するものなのである。
古人曰く、善《よ》く戦ふ者は、不敗《ふはい》の地に立ち、敵の敗《やぶ》る〔機会〕を失《うし》なはず、と。

善《よ》く戦ふ者は、不敗《ふはい》の地に立ち、
敵の敗《やぶ》る〔機会〕を失《うし》なはず。
『孫子』軍形

大学教授が三流アジテーターになってどうする

日本は平和――と言うよりも、のんびりしたものである。ドヤドヤと異民族が武器を手に乗りこんでくるわけでもなく、三食もたらふく食っている。大金を騙《だま》し取られても平気。年金があるわ、と言っている。

という所為《せい》か、そこらの小学生（ガキと書きたいところだが）なみの発言をしている大人が多いことよ。

例えば、日本学術会議の会員候補六名を首相が任命しなかったことに対して「学者や市民ら約八百人（主催者発表）が……『学問を守れ、自由を守れ』などと抗議の声を上げた」（朝日新聞／二〇二〇年十一月四日付）とのこと。そして発起人代表の佐藤学とやらは「菅首相の行為は民主主義国家にあってはならない、とんでもない暴挙。憲法の勝手な解釈改憲だ」と訴えたという。もちろんデモ行進の上で。

この佐藤某は学習院大学の特任教授とのこと。何を研究しているのか、寡聞《かぶん》にして知らぬが、研究者でなくて、このような演説をする程度の三流アジテーターと踏んだ。

今回の任命拒否に対して、その理由を明らかにせよ、と言う者こそ、実は、大きく言えば大学の自治を侵す者なのである。

なぜか。そのわけはこうである。

大学の自治、延《ひ》いては学問の自由・研究の自由を支える根本の具体的表現とは何か。それは一点に集約される。すなわち人事の決定とそれを守り抜く自主性なのである。決定人事に対する外部からの批判、さらにはその決定を否定するさまざまな圧力等々こそ、大学の自治を破壊するのである。

日本学術会議は大学ではない。しかし〈人事の最終決定〉に他者は関与することができない。もし関与を認めるとすれば、今回の例を根拠にして、日本の官僚制度は崩壊する。

日本学術会議の自治を、もし大学の自治と同様のものと認めたとした場合、それこそ大学において行なわれる人事と同様となり、最終決定にはだれも関与することはできない。

すなわち、日本学術会議は、一般組織であろうと、仮に大学並みであろうと、そこで行なわれる人事、即ち首相による選定について、だれも干渉できないのである。日本学術会議の新会員人事に対して、学問の自由、研究の自由が侵されたと喚《わめ》いている者こそ、実は外部から学問の自由、研究の自由を侵しているのである。

例えば、東京大学の或る人事に対して、外部の者が、その人事はおかしい、その決定に至った理由を示せ、と世に訴えたとしよう。

東京大学はどうするか。決っている、無視である。なぜなら人事の決定は大学の自治だからである。そのとき、前出の佐藤某は「学問を守れ、自由を守れ」と喚いても、答は一つ、決っている。こう言われるだけのこと。すなわち、アホとちゃうか、と。

日本学術会議は大学ではなく、首相指揮下の一組織にすぎない。いわゆる〈学問の自由、研究の自由〉とは、直接には何の関係もない政治的機関にすぎない。この組織に対して、特定の札つきの者以外、研究者はだれも敬意など抱いていないし、意識にも上らない訳《わけ》の分らぬ存在である。そんな下らぬ組織など潰《つぶ》れていい。潰れても、まともな研究者にとって痛くも痒《かゆ》くもない。

戦後日本においては、〈学問の自由、研究の自由〉と言えば、それこそ泣く子も黙る殺し文句であった。しかし、時を経《へ》て、世も移るうちに、濫用《らんよう》したため、しだいに実感のない観念論となってしまった。その内実が空虚となり、わずかに安っぽいデモ用語として生き延《の》びているだけである。無惨《むざん》と言うほかない。

老生、大学教員として長く勤務した。その間、所属大学における多くの人事に接してきた。中には、納得しがたい件もあったが、なにも言わなかった。その研究室がその人事を行なわねばならない理由があるのを知っていたからである。世に完璧な人事など無い。それも知らず、ガキの言うようなことを言うな。

古人曰く、鳥《とり》は、則《すなわ》ち木《き》を擇《えら》ぶも、木は、豈《あ》に能《よ》く鳥を擇ばんや、と。

鳥《とり》は、則《すなわ》ち木《き》を擇《えら》ぶも、
木は、豈《あ》に能《よ》く鳥を擇ばんや。
『春秋左氏伝』哀公十一年
擇：選ぶ。
豈：どうして……だろうか。

「学術会議非任命事件」はアホを判別する踏み絵

まったく偶然のこと、『機』というパンフレットが老生に伝わったのである。

藤原書店という出版社がある。老生とは何の接点もない。おそらく、老生の書斎には同書店の刊行物は一冊もあるまい。そういうことは珍しくない。その藤原書店の読者会員誌が『機』とのこと。なんと月刊誌で三四四号。長命である。

その号に特集があった。「『学問の自由』とは何か」というテーマで。

このテーマ、もとより二〇二〇年十月来騒ぎに騒いできた「学術会議新会員任命拒否」問題。そしてそれについて六名の寄稿がそこに公刊されている。

その寄稿者の一人、村上陽一郎は、或る仮説を立て、それに基づき、「今回の出来事で、六名の方が『研究上の自由』を侵害された、という議論は、的外れになることは確かではないかと思うのです」とはっきり述べる。お美事。

六人の執筆者、それぞれ筋道を立てて自己の意見を述べているのはいい。特定傾向的な発表物のほとんどは、ただ反対、反対、学問の自由を守れ、とシュプレヒコール（唱和）しているだけであり、読む価値はない。

しかし、この騒ぎから、面白いことが一つ生れてきたこと、これは特筆に価する。

それは何か。踏絵《ふみえ》である。

江戸時代、キリスト教を禁止するため、マリアやキリストの像に対して、足で踏ませて、信仰者かどうかを判断した。たとい信者であっても、踏む者も多く、その者は許された。改宗と判断されるからである。いわゆる〈転びバテレン〉。もし転ばなければ、転ぶまで凄惨《せいさん》な拷問《ごうもん》が待っている。もちろんその終着駅は、死か改宗かである。

当時のキリスト教は、先進国の世界侵略政策（弱小国の植民地化）と連動していたので、こうしたキリスト教厳禁政策は正しかった。それは当時における安価で有効な国防方法だったからである。

という故事を想い起してくれたのが、例の「学術会議新会員候補者六名の非任命事件」であった。

この事件を前に、（A）当り前だ、政府の判断は正しい、（B）反対だ、学問の自由を侵す誤りだ、否だ、という二つの立場が出て来た。

これは一種の踏絵である。いわゆるキリスト画像を前にするものとは異なるが、（B）は、政府案へ反対の立場である。

すなわち、政府案に賛成か反対かと問題を突きつけられたので、大急ぎで反対、反対と喚《わめ》いている大学人や評論家や作家や芸人らが、いま湧出《ゆうしゅつ》している、次々と。

もちろん、大半が凡庸な連中なので、独創的な視点や観点などはない。単なるワッショ、ワッショのデモレベル。しかし、そこが面白い、極めて日本的なところだから。すなわち、御近所さん（思想傾向同一グループ）とのお付き合いとなると、大急ぎでワッショ、ワッショするところ。

そういうのを俗論と言う。

それと比べて、先引の雑誌『機』の特集における論者六人は、それぞれこの〈俗論〉と異なって自己の観点を示している。すなわち俗論に阿諛追従《あゆついしょう》せず、ともあれ〈自己の論〉を出しているところは、気に入った。もっとも、その内の三人の論については高い評価をしないが、それは別問題。

となると、大メディア上に次々と出てくる政府決定反対論の独自性なき陳腐な駄文は、いったい何の価値があるのだろうか。

もっとも、老生のような保守反動にとっては得るところがある。それは、その論調で或る特定集団に属している分子だな、ということが続々とあからさまになってゆくからである。あ、この男も、おう、その女も、へぇーあの爺《じ》さま、ふーん、この婆《ば》さまもな、と。

わが心の中の対人評価の踏絵、面白し。

古人曰く、大《おお》いに惑《まど》ふ者《もの》は、〔物真似しかできず〕終身《しゅうしん》〔真理を〕解《と》けず、と。

大《おお》いに惑《まど》ふ者《もの》は、〔物真似しかできず〕
終身《しゅうしん》〔真理を〕解けず。

『荘子《そうじ》』天地

大：とてもとても。
惑：理解できない。

無能・無力な学術会議が喧嘩を売るとはいい度胸

世の中、世間知らずの愚者集団《おろかもの》がいろいろとあるが、その最たるものは、二〇二一年四月下旬に声明を出した日本学術会議である。

周知のように、半年前、日本学術会議が出した会員候補の内、六名を首相が任命しなかった。それに反抗する延長線上に現われたのが、同会議の四月下旬の声明である。

しかし、政府はそれを一切無視。状況はなにも変わっていない。すなわち日本学術会議なるものが、いかに無力なものであるかということを、よく示している。

老生、日本学術会議にまったく無縁な者であるが、今回、政府の任命拒否があってからの日本学術会議の声明や行動を新聞紙上等で知るかぎり、日本学術会議の行為・考えかた等について一言で評せる。すなわち集団になると〈愚者〉となる典型と。良識も常識も見識もない有象無象の集団であり、こんな集団が日本の学術問題を背負っているなどと自分で言うのは噴飯《ふんぱん》もの。

日本の学術、延《ひ》いては日本の学術問題を背負っているのは、個々の研究者である。小学校の学芸会ではあるまいし、集団だからと言って、日本の学術を代表しているわけではない。それが証拠に、今回の任命拒否された学者六人は、その研究分野において歴史に残る学説を創造した人々なのか。老生、別分野の者であるが、寡聞《かぶん》にして知らない。

では、お前はどうなのだと問われれば、即答しよう。老生、百年は残る学説二点を創造した。その学説に基づけば、中国古典学を根底から理解できると自信をもって伝えよう。

そうした学説創造に至るまで、すべては〈個人〉の努力に依るのであって、日本学術会議などという集団のお世話になったことなどまったくない。彼らが下らぬ会議に時間を費やしている間も、老生は必死になって研究を続けていた。研究に必要な費用は、生活費を節約して作り出していた。不足のときは、一般人向けの原稿を書いて補なっていた。

彼らは、なにかと言えば、研究費研究費と騒ぐ。それ、本気なのか。

文系それも古典学の老生、或る古典を解読するのに、量にもよるが、相当の時間を要してきた。もちろん、精密に〈眼光　紙背に徹する〉沈黙の読解――その苦悶《くもん》と歓喜とは、個人の孤独に徹するところから生れる。研究者に対する悪環境は、チャラチャラした会議や学内政治である、と断じておこう。

にもかかわらず、日本学術会議なるものは、特定の政治運動の下に蠢《うごめ》いている。その組織が研究者にとって本当に必要不可欠のものであると称するならば、国家の庇護《ひご》など振りすてて、研究者を集めた民間集会にすればいいではないか。本当に必要と言うのならば、年会費一万円として、仮に一万人が集まれば、一億円（同会議現行予算額）を作れるではないか。研究者会員を仮に三十万人とすれば、三十億円を集められよう。それこそ国家から独立した真の日本学術会議となるではないか。

しかし、日本学術会議にはそのような発想も見識も度胸も皆無。ひたすら国家予算にぶらさがっているだけである。それでは学問の独立などありえない。まして国家有為の学術的献策など思いも及ばない。

要するに、同会議をつぶしてしまっても、研究者の研究になんの支障もないのである。そんな不要なものに対して国家が十億円もの予算を組むこと自体が問題であろう。そのような予算の余裕があるならば、二十代後半から三十代前半にかけての無職文系研究者約千人に対して十億円を分配すれば、一人につき年間百万円の研究費を支給できるではないか。それこそ若い研究者に対する援助となる。

理系研究者に対しては、関係企業が研究費をドンと給付すればいい。企業にとって彼らは新しい戦力となるからである。

無能にして無力な日本学術会議が政府相手の喧嘩《りんか》とは、笑わせる。見物《みもの》だな。

古人曰く、蟷螂（かまきりが）の斧《おの》を以《もっ》て、隆車（大きな車）の隧（方向）を禦（邪魔しょう）がんと欲《ほっ》す〈ような馬鹿な話よ〉、と。

蟷螂《かまきり》の斧《おの》を以《もっ》て、
隆車《りょうしゃ》の隧《すい》を禦《ふせ》がんと欲《ほっ》す〈ような馬鹿な話よ〉。
『文選《もんぜん》』陳琳《ちんりん》の文

蟷螂：カマキリ。「蟷」は「螳」とも。
の：が。
斧：前足。
以て：使って。
隆車：大きな車。
隧：わだち。車の行く方向。「隧」は「隊」とも。
禦：じゃまする。

政府の投げ銭に頼らず民間で生きよ

この老人、世の行く末を憂えておるぞよ。いや、正確に言えば「世」と言うよりも「日本」であろうか。

老生、もとより神でもなければ偉人でもないので、人類だの生物だのという広大な分野について論ずる器量はない。老生の最大分野は、日本である。これなら、できる。

率直に言って、外国については、よく分からない。その決定的理由は、相手国（中国・台湾は除いて）の言語について無知だからである。そうした立場の老生からすれば、不思議なのは、「国際なんとか学」という看板を掲げる人種の存在である。彼ら彼女らは、その種の看板の下、テレビにチョロチョロ御出座《おでま》しであるが、その意見のほとんどは、大したことはない。日和見《ひよりみ》俗論である。「学者」というような看板には不似合いぞ。

理系はいざ知らず、文系のそうした連中をも含む日本学術会議なる集団の記事が出ていた。すなわち、菅義偉《よしひで》前首相の時代、同会議の新会員六名の非承認を不服として、任用をせよという再度の申し入れである。

率直に言って、まだヤットルのか、という気持である。しかも、その申し入れをした人物は、同会議の会長、すなわち梶田隆章。

この梶田某は、ノーベル賞受賞者である。しかし今のその姿や、雇われマダムならぬ雇われオヤジという老残の哀れな姿である。

梶田某が本物の研究者であるならば、研究現場との直接的関わりの中で、有益な発言をするべきであろう。

あるいは、日本学術会議を学問研究のそれこそ本山としたいのならば、政府などとの関わりを絶ち、独立独歩、それこそ自主独立すればよいではないか。政府予算に頼るなどというブラサガリ根性では、学問研究の真の自由は生れない。

日本の大学における理系研究界において、われわれ文系研究界では信じられないような巨額の不正支出が発覚している。その代表は、京都大学モンキーセンター（俗称）の十億円を超える不正支出である。あるいは私学においても、近畿大学医学部（法医学）の約一・四億円を超える不正。

ということは、億以下の規模の場合、もっともっとあるだろう。なにしろ億単位以下の研究費であるから、不正操作をしようと思えばできる可能性がある。

その点、文系の場合、個人研究費ならば百万円以下。不正支出をしようにも余裕がない。せいぜいボールペン一本を値切る程度よ。

不正使用は、政府予算ブラサガリから来る緩《ゆる》みであろう。とすれば、例えば日本学術会議は研究費の増額要求ばかりするのではなくて、研究者に対して研究費使用に当っての道徳心の向上を図るべきであろうが、そのような話は聞いたことがない。

よく研究費不足が言われているが、その実態は何なのであろうか。

文系の老生が現役時代に感じたものは、自分が自由に使える人件費がほとんどないことであった。助手（現在は助教）はいたが、研究者予備軍メンバーであるので、実質的には手足のように使えない。結局は己れ自身が己れのための助手役も果さざるをえなかった。それが文系の現実であった。

となると、研究費に頼らず、自腹を切って、身体の休息もなく、目的に向ってひたすら驀進《ばくしん》するほかなかった。その迷惑は己れの家族が受けるほかはなかった。それが文系研究者の宿命であった。今もそうである。

その運命は、己れ自身が選び定めたものであるので、誰の所為《せい》でもない。在《あ》るものは、自主独立という研究者の気概だけである。

日本学術会議よ、政府の投げ銭に集《たか》らず、自主独立、民間の中で生きよ。

古人曰く、既《すで》に之《これ》（金銭）を得《う》るや、之を失はんこと（無くなってしまうこと）を患《うれ》ふ。

苟《いや》しくも之を失はんことを患ふれば、至《いた》らざる所《ところ》なし（どんな手段をも取る）、と。

既《すで》に之《これ》(金銭)を得《う》るや、
之を失はんこと(無くなってしまうこと)を患《うれ》ふ。
苟《いや》しくも之を失はんことを患ふれば、
至《いた》らざる所《ところ》なし(どんな手段をも取る)。

『論語』陽貨

之…金銭。

失…なくなる。

苟…もしも。

至ら……所なし…なんでもする。

医学部受験者は社会人を対象とせよ

二月――となると、世の関心が一つになる感じがある。これは平和日本であるからであろう。もっとも、これから先は分らぬが。

さてその関心とは、大学入試。老生、元は教員であったが、はるか昔に引退してからは、その関心、ほとんどなくなった。大学入試、と聞いても、あ、そう、という程度。となると客観的になり、大学入試の欠陥があれこれと見えてくる。そこで、今回はその欠陥の根本を述べてみることにする。

それは、大学入試における医学部入試である。現在、医学部入試は、異常に激烈である。医学部の入試合格のみを目的とする受験コースまである。

その昔、約七十年も前か、老生も大学受験生であった。友人たちと入試についてあれこれ的はずれな話をよくしていたが、話題として医学部の話はほとんど出なかった。

大体において医学部受験生は〈大人《おとな》〉の感じであり、われわれ〈小僧《こぞう》〉とは違っていた。というのも、家が開業医の者が多く、始めから医業継承という感じであった。

むしろ文学部受験者のほうにサムライが多かった。老生らの大学入学時、入学者の最低点数は、文学部も医学部もほぼ同じであった。文学部の同期入学生の中には、ずっと年上の旧三高（第三高等学校）出身者もいた。三高卒業後、戦後の混乱のため、旧制大学に進学できず、家業に従事し、やっと余裕ができたので新制大学に入学してきたわけ。昼食休みのとき、「紅《くれない》萌《も》ゆる……」と旧三高寮歌をわれわれ新入生が集って歌っていたが、その年上入学生、そばでじっと聞いていた。やがて徐《おもむ》ろに進みでて、こう啖呵《たんか》を切った。

「正調、第三高等学校寮歌……」と。そして、ものすごく速いテンポで歌った。われわれは呆気《あっけ》にとられて平伏。

などと昔話をするので老人は嫌《きら》われる。しかし、医学部の話であるから、ぜひ聞かれよ。映画——もうその題名は忘れた。アメリカ映画で、俊才《しゅんさい》医師が主人公。優秀だったので抜擢《ばってき》され、或る大学の教授となった。そして赴任して医学概論の講義を担当。その最初の日、教壇に立ったとき、受講学生らが雑談をしたり、欠伸《あくび》をしたり……ざわざわした感じであった。それと言うのも、若い教授の初講義であり、馬鹿にしたわけである。

俊才教授はどうしたか。或る学生に命じた。教科書のどこでもいいから開き、ページ数を言え、と。学生、ページ数を言う。すると、そのページの最初から文章をざーっと空《そら》で読み終えた。続いて任意に指名した別の学生にテキストを開かせると、同じくそのページの冒頭からざーっと空で読みあげる……学生らは圧倒されシーンとなる。そのとき、その俊才教授がこう言った。「これが医学だ」と。

この昔話、今や本当に昔話となった。と言うのも、現代では、暗記は一定程度でいい。なぜなら昔の学問は記憶が主流であったが、現代では記憶はＡＩが行なう。それも巨大な蓄積をしてくれる。

となると、医師には、記憶力よりも思考力、それも人間の心に響く力がこれからは求められるであろう。となると、人間社会での経験の豊富さとか、生きることの重さへの深い理解とか、志の堅さ高さといった〈人間性〉が最も大切になってくるであろう。

すると、人間の生命と心とに関わる医師は、相当の人間力の持主でなくてはならない。そのような人間を選ぶとなれば、社会経験を有した人物がいい。すなわち、医学部受験者は、高校生ではなくて、一般社会人を対象とすることである。

医学部は、高卒生からではなくて、大学卒業生（文・理を問わず）から選抜してはどうか。在学期間は二年で充分。そして大学院進学。そこで本格的に医学を学ぶ。医学部進学者は、文学部出身者でも工学部出身者でもいいとすると、人間と直接にかかわる医学はめざましい新展開をするであろうと自信をもって予言しておこう。

現在の大学入試において医学部がなくなることは、他の学部にとっても大賀、大賀。高校生は、まずは大学へ進学することだ。

古人曰く、珠玉《しゅぎょく》は虚玩《きょがん》（飾りもの）に止《とど》まるも、穀帛《こくはく》（穀物や織物）は実用《じつよう》あり、と。

> 珠玉《しゅぎょく》は虚玩《きょがん》（飾りもの）に止《とど》まるも、
> 穀帛《こくはく》（穀物や織物）は実用《じつよう》あり。
> 『劉子《りゅうし》』貴農
>
> 珠玉：真珠や宝玉や。
> 虚玩：飾りもの。
> 穀帛：穀物や帛《きぬ》（絹）や。
> 劉子：撰者未詳。

大学教員への〈就活〉に悩む者に〈志〉ありや

人生、終りに近づくと、周辺にいろいろなことが起る。老生、今まさにそれである。すなわち、相談役として。もっとも老生は現役ではないので、何の力もない。できることは、若干のアドバイスにすぎない。だから細々とそれなりのアドバイスをしている。そういう生活の中で、気になる相談があった。要約するとこうである。

当人はこういう気持ち。すなわち自分は小・中学校以来、一生懸命、勉強してきた。大学も難関校を突破し、大学院も無事に終え、博士号も取得し、博士論文の著書もある。なのに、いまだに大学に就職できないでいる。もう四十歳に近い。どうすればいいのかと。

この話、昔の老生であれば、当人の就職活動に力を貸したであろう。しかし、今の老生には、就職への助力はしないのみならず、この人物の泣きごとに対して不愉快であった。と言うのは、この人物の話の中に、〈志《こころざし》〉というものが見えないからであった。

すなわち、この世に生を享《う》け、親に育てていただいた。それは、ありがたいことであった。ならば、自分は人間としてこの世において何をなすべきかということを考える期間が、小・中・高の時代なのではないのか。

もちろん、その思考のプロセスは幼いであろう。しかしそれでいいのだ。宇宙へ飛び立ちたい、海岸石を集めたい、日本全国を旅したい、苦労している親を助けたい……それでいいのだ。そこに夢がある。志がある。

しかし、前引の無職の四十男には〈志〉が見えない。ただ大学教員になりたいという〈就活〉希望の歴史があるのみである。

となると、われわれ老人の悪い癖《くせ》ではあるが、「俺らのころは」という話をせざるをえない。もちろん聞くのがいやなら聞かなくともいい。

その昔、例えば老生の場合、高校で始めて漢文を習った。今と違って、そのころの漢文の授業は、戦前の流れ、すなわち国漢（国語と漢文と）的感覚であった。漢文は国語と並列、対等ということであった。今日と異なり、漢文は独立的であった。だからであろう、週に五時間の国語の内、三時間が国文系（現代文一、古文二）、そして二時間が漢文。その点は旧制中学校的であった。

しかも教員がすごかった。国文は山崎馨《かおる》（後に神戸大学教授）、漢文は福永光司（後に京大教授・東大教授）であった。昭和二十七年（一九五二）、いまから七十年以上前のことである。その先生たちは、学徒出陣によって戦線に行き、敗戦後、高校教員となっておられた。

老生、福永先生から漢文の〈面白さ〉を学んだ。そして中国哲学専攻への道を志《こころざ》した。もちろん、大学教員になる、なれる、といったことは一切関わりなく。

当時の中国学を志す者はみな同様。生活は、定時制高校いわゆる夜間高校教諭となることで十分だった。

大学院時代、老生は大阪府立高津高校教諭（定時制）であった。公務員である教員の大学院在学は当時は違法であったが、校長はそ知らぬ顔をしていた。ありがたかった。校長はサムライだった。

そういう環境の中にあった大学院生は多くいた。貧しかった老生は、専門書籍を買うために、さらに昼間に非常勤講師までした。大阪府立泉尾高校、同住吉高校、同大手前高校、私学の大阪高校、金蘭会《きんらんかい》高校、果ては夕陽丘《ゆうひがおか》予備校と。そしてZ会への漢文問題の出題も。そのようにして求めた漢籍二千四百冊余や軸類を、二〇二二年春、大阪大学に寄贈し「加地伸行文庫」として目録を作っていただき、ありがたいことと感謝している。

こうした老生の生涯は、ただ一つ中国哲学研究の志を貫いたことであった。研究職に就けるかどうか、そんなことは二次的なことである。高校への就職は努力すれば必ず教職につけられる。生活基盤はそこに置き、あとは死に物狂いの研究である。価値ある研究を発表すれば、それを見ておられる方が全国に必ずいらっしゃる。それを信ずることである。

古人曰く、国《くに》将《まさ》に亡《ほろ》びんとするや、本《もと》必ず先《さき》に顚《たお》れ、しかる後《のち》に枝葉《しよう》これに従《したが》ふ、と。

国《くに》将《まさ》に亡《ほろ》びんとするや、
本《もと》必ず先《さき》に顚《たお》れ、
しかる後《のち》に枝葉《しよう》これに従《したが》ふ。
『春秋左氏伝』閔《びん》公元年
顚：倒れる。

ゴマンといる英文学者は英国の政治行動を研究せよ

オリンピック騒ぎも終った。今は宴《うたげ》の後の日々ではある。想い起せば、オリンピック競技とは別のストーリーが流れていた。例えば、某国人は来日したものの、出場選手になれなかったとやらの理由で、宿舎（大阪の泉佐野市）から脱出して名古屋方面に逃亡した。帰国しないためであった。まずその点が奇妙な感じだった。なにか自己中心的だった。

もちろん保護された。供述では、祖国では生活が苦しいので、日本で働らこうと思ったからとのこと。エゴそのものだ。

こうした日本への逃亡（政治的亡命ではなくて）は、かなりあると聞く。例えば、来日したものの勉学の気持を忘れて男と同棲。やがて男の暴力に苦しみ逃げ出す。しかしそのことは隠して勉学一心という日本人向きのこじつけ理由で、日本在留を世に求める。すると必ずお人好し日本人が現われる。その種《て》の不良外国人側に立って、その外国人が有利になるようあれこれ取り計らおうとする。

それほど言うのなら、お前がその外国人を自分の家に引き取り、保証人となり面倒を見るべきなのに、それはしないで、公的機関になんとかしろと幼稚な理屈をこねている。

そうした事件がいくつも起っているが、日本の入管事務所はしっかりと対応しているので安心である。某国の入管事務所などは、金銭を握らせると通し、泣きつくだけのは追い帰す。慣れたものであるが、一般日本人においては賄賂《わいろ》を教える豪の者は少なく、ただ「何とかしてあげたら」という無責任な態度。その点、日本の入管の厳しい態度は勝《すぐ》れている。不良外国人を追い払ってくれている。

しかし、外国人への日本人一般の甘い態度は、どうしてなのだろうか。

日本は全体として、非常に幸運な位置にある。周辺は海。ただ一つ朝鮮半島とは近接しているものの、その間に海が有るので、陸地続きの不安というものはない。その代り外国人とのつきあいに慣れていない。

この日本の状況と似ているのは、英国である。英国はヨーロッパ大陸諸国と協調しているものの、いざ国益問題となると独自の行動を取る。難民不要の立場からのＥＵ離脱は、その典型。英国は、ヨーロッパ大陸から離れていると言っても、ほんのわずかな距離。

話を戻《もど》すと、日本は、英国の政治行動について研究を怠らないことである。もちろん、状況は同じではないが、地形的には似ている。明治時代のころのような物真似をするのではなくて〈英国〉を研究すべきであろう。

日本の大学文学部において、専攻分野で最も多いのが英文学である。その分野に属する大学教員は、万を超えることであろう。

しかし、イギリスについてのこれという勝れた論説、アッと驚く鋭い本質論が生れている、生れてきた、という話は、一度も聞いたことがない。

それは、おかしいのではないか。なるほど明治のころは、欧米列強に学ばざるをえなかった。だから高等教育において、まずは語学とばかり英語・ドイツ語・フランス語が必修。特に英語が普及した。

しかし、現代では、語学そのものは、なにも学校で教え学ばずとも、学習機会は山ほどある上に、いわゆる実用英語は、塾で学ぶほうが、理解も早く、学習も充実。

とすれば、日本の大学における〈英文学様御繁盛《ごはんじょう》〉に、いったいどういう意味があるのだろうか。

もちろん、大学の生命は、研究である。その研究において、現在、国家・社会のためにいったいどういう成果を出しているのであろうか。ほとんど聞いたことがない。

今や令和。明治時代から百年以上となる。近代外国に関する語学訓練の意義は、もうない。ただお役所風に、去年の予算より今年のそれが増えますように、という調子の専攻万歳の時代は終ったのである。

古人曰く、貨《か》〔を、〕悖《もと》りて〔道理が合わずして〕入《い》れば、〔必ず〕悖りて出《い》づ、と。

貨《か》〔を、〕悖《もと》りて〔道理が合わずして〕入《い》れば、〔必ず〕悖りて出《い》づ。

『礼記《らいき》』大学

貨：収入。
悖：道理に外《はず》れたありかた。
大学：四書の一つ。

京大の研究費不正支出は研究者の恥さらし

老生、専任として勤務する大学の現場を離れて、もう三十年近い餘《あまり》。そのころの宮仕えの記憶は遠く、今は浪々の身。

そういう浪人にとって、それこそ驚天動地のニュースを知って、腰を抜かしたわ。すなわち、京都大学霊長類研究所が研究費約五億円を不正支出したとのこと。

貧乏性の老生、何よりも五億円という金額に驚いた。理系の研究に対しては、高額の研究費が提供されているということは、もちろん知っていた。しかし、そのときの理系研究費のイメージは、特殊設備や工学機具の購入といった、高額になりそうな研究費というものであった。

われわれ文系の研究費の費目なんて可愛いもんである。例えば、ボールペン五本分とか、紙コピー代とか、まったく較《くら》べものにならない。もしも、億、いや一千万円をいただいても、一年間ではとても消化しきれない。目茶苦茶、おろおろ、あれこれ本を買うぐらいがせいぜい。

それが五億円とは、信じがたい。しかもその研究対象がチンパンジー。要するに、エテコウ（猿公）の研究ではないか。そんなもん、一万円もあればできるわな。

と書くと、すぐ紙礫《かみつぶて》が飛んでこよう、研究を何と心得るか、と。

はいはい、分りました。さりながら、報道に拠れば、チンパンジー等各種のエテ公を、なんとその数、千百八十四匹も飼っている。

おかしい。千百を超える猿どもを観察する研究者は何人いるのか。仮にサル十匹を一人が担当するとして、研究者が百十人も必要となる。そんな多くの専任同一分野研究者が存在する巨大な研究所があるのか。いや、果してそういう研究所が必要なのか。

研究者一人が、数年間、じっくりと数匹の動物を観察すれば、必ず成果を出しえる。われわれ文系の者も、例えば老生の領域で言えば、一冊の漢籍を数年間じっくりと徹底して読解すれば、必ず新発見がある。

では、不正とは何だったのか。

驚くべき事情が公にされた。すなわち特定の出入り業者の納入品（猿の飼育用大型ケージ等）の製作に赤字が出たので、それの補塡《ほてん》のためだと言う。もちろん、入札して得た仕事であるから、その損害分はその業者が持つべきものであるのにだ。

さらに驚くべきことには、窮状を訴える取引業者をなんとかしてあげたかったとのこと。それはおかしい。入札するとき、どうしても欲しい仕事なら赤字覚悟で入札する。もし落札後、不測の事態が発生したとしても、まともな業者ならば、黙ってその赤字を呑む。それが〈男〉というものである。

では、京大側の責任者は誰かと言うと松沢哲郎特別教授ら四人。

彼らに対する処分はこれからとのことであるから、その結果を待とう。もちろん厳罰に処すべきである。四年間にも亘《わた》る不正なのであるから情状酌量など絶対にあってはならない。もしそういうことがあったとすれば、学生に対してどう説明できるのか。

研究者は、学生に対していわゆる学業の指導だけに終るものではない。研究者の心構え（例えば、盗作はしてはならない等）に始まり、さまざまな心得を叩きこむ。となると、今回の恥曝《はじさらし》を前に、松沢某ら当事者は、本来、処分前に辞職すべきである。その不正は、全国の研究者の顔に泥を塗ったも同然である。情けない。

報道に拠れば、リーダーの松沢哲郎は、文化功労者とのこと。しかし、研究者として不正の中心者となった以上、政府は文化功労者の資格を剝奪《はくだつ》すべきである。それを為《な》すのが公正な政治というものであろう。

すべての責任は、京都大学に在《あ》る。どういう厳正な結論を出すのか、期して俟《ま》つ。

古人曰く、〔研究の〕功《こう》有りと雖《いえど》も、〔結果としては〕猶《なお》獣《じゅう》〔チンパンジー千匹餘〕を得て人《ひと》を失ふがごとし、と。

〔研究の〕功《こう》有りと雖《いえど》も、
〔結果としては〕猶《なお》
獣《じゅう》〔チンパンジー千匹餘〕を得て人《ひと》を失ふがごとし。
『国語』晋語七

猶：ちょうど……のようなもの。
獣：チンパンジー。

理系研究に〈文理融合〉のすすめ

老生、金銭《かね》はなし、身体は横に転がるのが第一。しかし連休十日――世間様は、どこへ遊びに行くか、何を食べるか……と忙しい。よくそんな閑暇《ひま》があるものじゃのう。

結局、この連休は、わが家、いやわが書斎の悲惨なゴミ屋敷、いやゴミ部屋の整理と相なった。しかしそうとはならなかった。活字人間の習性ゆえに、文字があると目を通す。フーン、こんなことがあったんや、となり、片付けは進まない。諦《あきら》めた。元《もと》の木阿弥《もくあみ》。

さりながら、残していた古い記事の内、二種が気になった。

その第一種。これは、いわゆるパワハラなどに由《よ》る自殺事件である。

その内の大事件は、電通に勤務の二十数歳の女性の自殺。これは社会問題に発展し、関係諸法律の改正に至った。

同じく、手許《てもと》にある記事では、二〇一六年、大阪・吹田《すいた》市の薬局に勤めていた当時三十歳の女性の自殺。

　また、パワハラではないが、研究職志望が果せず、結局、自殺した四十三歳の女性。この方々の死に対して、もとより心より弔悼《ちょうとう》申しあげる。しかし、しかしである。自死することはなかったのではなかろうか。

　と言うのも、電通であれ薬局であれ、それに代る職場は必ずあるはず。なぜ転職を考えなかったのか、老生の理解を越える。

　また研究職志望が叶《かな》えられなかった女性の場合、新聞にその書斎や本棚の写真二点が掲載されていたが、その書名を見る限り、学部学生レベルのものであり、研究書はない。これでは烈《はげ》しい研究競争は無理。本人よりも指導教授らに問題がありそうだ。方向転換しての生きかたを教えるべきであっただろう。

　いずれにしても、死ぬな。死ぬ覚悟があれば、他の道を求めよ。必ずその道はある。

　次に古い記事の第二種。それは、大学教員の不正事件である。

　二〇一九年三月、秦《はた》吉弥・元大阪大学准教授の研究論文（熊本地震や東日本大震災関連）五編中のデータの捏造《ねつぞう》や改竄《かいざん》が認定された。

　同じく三月末、林愛明《りんあいめい》・京都大学教授の熊本地震に関する研究論文中にデータの改竄や盗用があったと発表された。

また四月には、男性（氏名未公開）・京都工芸繊維大学（国立）教授が、学内の設備を大学の許可なく企業に使わせ、三社から使用料・指導料として計約百七十万円を受け取っていたことがわかった。もちろん不正利得。

愚劣な連中である。このような連中が出てくる理由の一つは、理系の研究予算額が巨大であるので、金銭感覚が麻痺《まひ》し異常となっているからであろう。

そこで、理系の金銭感覚の正常化のため、科学研究費を筆頭に外部から導入した研究費総額の、例えば五％を文系共同研究班（公募あるいは自己編成するなど自由に編成）に提供してはどうか。

例えば、年間研究予算を仮に一億円とすると、その五％は五百万円。これを文系共同研究班に提供する。文系メンバーが五人であると、一人当り百万円。十分な金額だ。

この文系共同研究班人員の半分は、まだ研究職に恵まれない若手で構成するといい。彼らは奮起し研究が活性化すること確実。彼らの研究テーマは、例えば当該理系研究の意味づけや、倫理性や、科学史的意味等いくらでも当該研究に寄与できよう。それは実は、いま最も求められている文理融合型研究であり、同時に文系研究者の生活や将来に希望を与えることになるであろう。

この方式を文科省が実現することによって、日本の文理両者統合の新しい研究展開が期待できよう。のみならず、理系研究に文化的膨《ふく》らみが加わり、独創的な新しいアイデアが生れる可能性がありさえする。そういう従来になかった研究体制が令和時代から生れよ。

古人曰く、江海《こうかい》は小助《しょうじょ》を択《えら》ばず〔呑み込む〕。故《ゆえ》に、能《よ》くその富《とみ》を成《な》す、と。

> 江海《こうかい》は小助《しょうじょ》を択《えら》ばず〔呑み込む〕。
> 故《ゆえ》に、能《よ》くその富《とみ》を成《な》す。
> 『韓非子《かんぴし》』大体《だいたい》
>
> 江海：大川や海。
> 小助：細流・小川。
> 富：大洋。巨大スケール。

白井聡の評論は「頭の悪い見本」

老生、行く当てがない日々。生涯の喧嘩口論が原因か、誰も憐《あわ》れんでくれぬわ。淋しいことよのう。と、まずは御挨拶。

というところで、仙頭寿顕《せんとうとしあき》著『『諸君！』のための弁明』（草思社）の読後感について一筆いたしたい。

この著者、凄腕である。雑誌『諸君！』（文藝春秋。現在は休刊）の編集長として同誌の発行部数を大きく伸ばした功績がある。

同書、読んだ、完読した。面白い。時々、笑わせてくれるのがいい。その全体像は、出版文化史という感じである。老生、己れの人生をそこに被《かぶ》せて楽しんだ。「思い出してごらん、あんなこと、こんなこと、あったでしょう」という、幼稚園児が唱《うた》う「思い出のアルバム」の活字版であった。

もちろん知らなかった話があった。例えば、故江藤淳著『一九四六年憲法——その拘束』のライブラリー文庫版（文藝春秋）を刊行のとき、同書の解説者に白井聡を起用したとのこと。

そして刊行後、アマゾンのレビューでは、白井のその起用に対する苦言が呈されたと述べ、そのいくつかが紹介されている。例えば、小谷野敦。こう述べる。「もはや白井は、反米のためなら天皇制右翼の江藤すら利用しようという愚かな地点へとさまよいつつあるらしい……」と。なるほど。

さらに、匿名の「ゆうた」氏は「解説に驚いた。読解力がまるでない。時代遅れの左翼……せっかくの本文が、頭の悪い解説と編集者で汚されたという印象……」と。

老生、思わずウームと唸《うな》った。実は、その解説者、すなわち白井の『永続敗戦論』（講談社＋α文庫）を読み、この男「頭が悪いなあ」と述べようとしていたところ。しかしすでに「ゆうた」氏が「頭が悪い」と先を越していたことを知り、今さら同じことを言えず、残念。

白井某は、だれもが知っていることを、だらだら長々と述べ（頭の悪い見本）、天下に冠たる独創的見解はなにもなく、ただぐだぐだとあれこれと言い（頭の悪い優等生の典型）、はい、おしまい。

こういう愚か者と異なり、誠実に事実を明らかにすることによって、自《おの》ずと主張を堅固に示す勝れた著作が世にはある。

例えば、名越弘《なごえひろし》著『再審請求「東京裁判」』（白桃書房）がそれである。

その行論の一例を挙げる。従来、東京裁判批判として、インドのパール判事の主張すなわち事後法（事件のあった後に作られた法）に依る裁判は誤まりという説が、広く日本で受け入れられているが、それよりも、東京裁判における判事の構成が著しく公正さを欠いている点を第一の批判とすべきであると主張している。その論旨、明解。

東京裁判に関する論著は、蔵書風に言えばそれこそ汗牛充棟《かんぎゅうじゅうとう》。一例を挙げれば、鈴木晟《あきら》著『東條英機は悪人なのか』（展転社）も、読ませた。東條に対する「大悪人・独裁者・軍国主義者・能吏・事務屋・小人物……」という世評が、いかに一方的で浅はかであるかということを教えてくれた。

しかし、このような名越弘・鈴木晟氏らの力作は、世に知られないでいる。同種の著書は、他にも多くあることであろう。

一方、大新聞社の書評に取りあげられた本の大半には、どうでもいいものが多い。おそらくさまざまな〈忖度《そんたく》〉がそこに籠《こ》められていたのであろう。すなわち、そういう書評欄に取りあげられなかったからと言って、なにも失望することはない。この世は、知る人ぞ知るの世界なのであるから。

決して慰《なぐさ》めの言辞ではない。例えば、前引の白井某の著書、かの駄本が売れたのは、落目の左筋のインテリが、已れの行先の不安から、しがみついただけのことなのである。

古人曰く、賢《けん》・不肖《ふしょう》は、〔生れつきの素〕材《ざい》なり。遇《ぐう》・不遇《ふぐう》は、時《とき》〔の運《うん》〕なり、と。

賢《けん》・不肖《ふしょう》は、〔生れつきの素〕材《ざい》なり。
遇《ぐう》・不遇《ふぐう》は、時《とき》〔の運《うん》〕なり。
『韓詩　外伝《げでん》』巻七

不肖：愚か者。
材：生れつきのもの。
時：運《うん》。

エドワード・ルトワックは中国の本質をつかんでいない

老生、年を取り、世の厄介者《やっかいもの》となったものの、口だけは達者で、ツベコベ言うのは、昔と変わらぬ。おそらくこれはこのまま続くことであろう。と前振りすると、気が楽。

という日々、しかし、新聞だけは欠かさず読んでおるわな。さてその新聞の内、二〇二二年八月二十九日付の産経新聞を読んでいて、一筆をという気持になった。

こうである。同紙一面において、アメリカの歴史学者、Ｅ・ルトワックにインタビューした記事が出ている。相当の量である。この人物は、アメリカの戦略国際問題研究所の上級顧問とのこと。

その内容は、こうである。中国は自国の食料生産が十分でなく、他国との戦争に踏みきることができない、と。だから、中国は世界的強国には程遠い、と述べる。

すなわち、中国は軍事力があるが、国民全体に対する食料供給ができないという大弱点がある。当然、台湾情勢に本質的変化は、何も起せない、と。

老生、この記事を読んで、大いに不満であった。と言うのは、中国は食料不足であり、大国になろうと思ってもなれないという意見は、老生、すでに今から数十年以上も前に、述べていたからである。すなわち拙著『現代中国学』「大陸の食糧問題」（中公新書・一九九七年）においてである。

もし産経新聞が、今回、ルトワックの意見を公表するのであれば、せめて老生の同書を読んだ上で、なすべきではないのか。

もちろん、ルトワックはこの数十年間の中国の農業について研究していたことであろう。老生はしていない。しかし、数十年前の拙見が、この数十年を経ても解決できていないことを予言していたことになるではないか。

とすれば、数十年前の老生の説は、今も新しく、古びていないということになるのではないか。

研究は、もちろん日進月歩《にっしんげっぽ》、老生は現代中国研究者の成果には敬意を表する。しかし、研究史については絶えず注目すべきである。そして取るべきものは取るべきであろう。

老生は中国古典学の専攻者である。しかし、研究という点になると、古代も現代もない。有るものは、資料なのである。だから、老生は中国古典学を主としながらも、現代中国に対して、関連資料を前に研究することに違和感はない。

それどころか、現代中国における諸事件や彼らの考えかたには、古代中国におけるそれと酷似《こくじ》していることが多々ある。すなわち、中国古典研究と現代中国研究との間に（資料は別として）共通する類型を見ることが多いのである。その結果の一つが、前引の拙著『現代中国学』であった。

同じことは、中国学以外の他の分野においても言えるのではなかろうか。

例えば、老生、まったく門外漢だが、ファッションにおいてそれを感じることがある。老生の眼にするところ、女性ファッションでは、いわゆるヨーロッパ系の場合、モノカラー（単一色彩）のデザインが多いような気がする。すなわち、濃い青一色とか、淡いピンク一色とか、と。

しかし、アジア系、例えば日本の場合、モノカラーではなくて、いろいろな色を使っていたり、模様があれこれ入っているのが多い。和服の中には、物語の一シーンが入っていたりする。

語彙《ごい》不足で申しわけないが、西洋系はすっきり、アジア系はゴタゴタ、という感を、老生、否めない。女性諸氏、許されよ。決して差別などではないぞよ。事実じゃ、事実。

話が、だんだんややこしくなってきたので、この辺で打ち止めじゃ。老生、浮世と無縁で、中国古典学を修めた仙人のような者じゃが、まだ山に入らず、浮世で生きておるわな。それもふわっと仙人風にのう。

古人曰く、人《ひと》は皆実《みなじつ》を取《と》るも、己《おの》れは独《ひと》り虚《きょ》を取る、と。

> 人《ひと》は皆実《みなじつ》を取《と》るも、
> 己《おの》れは独《ひと》り虚《きょ》を取る。
> 『荘子《そうじ》』天下

サヨクに「学」などない

新聞広告を見ていると、こういう新刊広告があった。書名は『独在性の矛は超越論的構成の盾を貫きうるか』（春秋社）と。著者は永井均——どういう人か知らないが、哲学専攻らしい。

この書籍、老生の関心を呼び起こした。と言うのは、右の「矛……盾……」すなわち矛盾について、その真相を中国哲学の立場から始めて明らかにしたのが、老生だったからである。

まずは事の起りからお話しする。中国は古代、『韓非子《かんぴし》』難一《なんいつ》に、こういう話がある。商売の話であるので、分りやすく大阪弁で話してみよう。こうか。

道ばたでな、オッチャンがな物を売ってましたんや。ほてから客引きにこう来た。皆はん、まあ見とくんなはれ。この矛はな、ゴッツウ強いで。どんなぶ厚い楯（木製）でもスコンと突き通せまっせ。どやどや。ところが誰も買わない。そこでオッチャンは楯を出してきましてな、こう言いましたがな。この楯はな、ゴッツウ強いで。どんな尖《と》がった矛でも通せまへんのや、どや。すると、見物人の一人がこう野次《やじ》りましたがな。ほたらオッチャンなあ、なんでもいてまうその矛と、どんなもんにも貫けんその楯とが、もしごっつんこしたらどないなるんや、と。オッチャンは、ウーンとうなって答えられんかった。ハイおしまい。

この矛楯説話から「矛盾」という語が使われるようになり、ついには思想用語にもなって今日に至る。

この矛盾（楯）説話の思想的意味とは何かということについて、今から六十年もの昔、老生、一編の論文を草した。その中核はこうである。（A）最強の矛、（B）最強の楯、それぞれは正しい。商人はまちがっていない。そこへ見物人が条件を勝手に変更したのである。すなわち、〈それぞれ別の時間〉ではなくて、〈同時に〉としたのである。或るときの矛、また別の或るときの楯、それぞれ別々の時間において最強というのは正しい。しかしその条件を〈同時に〉と変えたのであるから、商人の説を論破したわけではない。商人は〈同時に〉という新条件については、こうだああだと、論ずればよかったのに、そこに気づかなかったまで。という意味での商人の敗北ですがな。

ま、そういう論を、昔、立てたことのある老生にしてみれば、永井某の前引書の書名に惹かれて購入した。読み出した。その途端、嫌になった。と言うのは、まず文章としてなっていなかったからである。率直に言えば、文章が下手。つまるところ、一つも面白くない。しかも、三百ページもありながら「矛盾」という語が出てくるのは、六個所のみ。もちろん、「矛盾」ということば自体に対するつっこみなど全くなし。アカン。

その昔、老生、大学生時代、田中美知太郎教授（故人）の西洋古代哲学史の講義を受けた。実に分りやすかった上に中身が濃かった。それと比べるレベルではないが、差があまりにもひどい。この程度の本を出版社もよく引き受けたものである。

これは一例に過ぎない。今の世の中、真剣にその道において修業しないまま、ピーチクパーチクの一知半解の徒が多い。ま、それはそうか。そういうレベルの連中は昔からたくさんいたな。

戦後からつい最近まで、左翼勢が日本のさまざまなところで主導権を握っていた。左翼に勢いがあった。人数も多かった。

その勢いに乗って、若僧どもがサヨクサヨクと風のまにまに乗って騒いでいた。ただし、その連中の九割は左翼主要文献をしっかりと読み、信念を固めていたわけではない。

〈学〉などほとんどなかった。だから、社会主義国家（ソ連や毛沢東中国など）の理論が現実を前にどうすることもできず崩壊していった結果、日本の左巻き大将どもが逃げ出してしまった後、若僧らは呆然《ぼうぜん》としているうちに、老化していっているのが現況。

しかし、現在、右翼の旗色が良くなったとはいえ、しっかりと伝統思想を勉学し研究している独立気概ある若様《わかさま》は、果たして何人いるのであろうかのう。

古人曰く、白砂《はくさ》も泥《どろ》に在《あ》れば、之《これ》と与《とも》に皆《みな》黒《くろ》し、と。

> 白砂《はくさ》も泥《どろ》に在《あ》れば、之《これ》と与《とも》に皆《みな》黒《くろ》し。
> 『大戴礼《だたいれい》』曽子制言《そうしせいげん》上《じょう》
>
> 白砂：若者。
> 之：泥。

第四章

平和ボケ日本の兵法

大陸と台湾とはあえて戦うのか

二〇二三年は、いろいろ波乱のありそうな感じがしてならない。その第一は、中国と台湾との関係がどうなるか、である。

その理由《わけ》は、台湾の政治に生れた変化の兆《きざ》しである。すなわち、台湾における先の選挙の結果、与党の民進党が敗れ、野党だった国民党が勝った〈政変〉である。

この国民党は、故蔣介石《しょうかいせき》らのグループが核であり、その意識は、中国本土へ進攻し、政権を再び握ることである。

しかし、第二次大戦直後の状況と現在のそれとは、まったく異なる。今、台湾から大陸へ軍事進攻ができるであろうか。困難である。台湾防衛の現況が極限であり、大陸への〈反攻〉は、国民党の〈昔の〉スローガンにすぎない。しかし、大陸本土へ帰りたい願望を絶つことはできない。

そこで生れた新しい別感情が、経済関係の宥和であった。すなわち経済交流であり、これはすでに実質化している。この経済的利権は、大陸も同様である。すなわち、大陸・台湾ともに〈経済〉の点では、がっちりと利益共有している。

そういう関係をつぶしてまで大陸・台湾両者はあえて戦うのであろうか。

もう一点ある。老生、台湾に留学したときの経験である。今から五十年前である。

現地では、教員宿舎に滞在した。当然、同宿舎の諸人と親しくなった。五割は欧米人、日本人は老生ら二人。そして中国人ら。その中国人の一人である鄭《てい》さんと親しくなった。老生の下手な中国語と、鄭さんの下手な日本語による会話は、楽しい絶妙なマンザイであった。

その鄭さんは、アメリカでの留学を終えて帰国したばかりであった。御両親は台湾の日本時代の人だったこともあって、鄭さんは日本人の老生に非常に好意をもってくれていた。彼といろいろ話すうちに、驚くことが多々あった。その中で、今こそここに話さねばならないと思うことがあるので述べる。

鄭氏と親しくなるうちに、さまざまな重い話をするようになっていた。その第一は、彼の職業であった。彼は〈アメリカ留学〉後にすぐ帰国し、ある国営機関に勤務していた。

そこでいろいろ話すうちに仕事の内容の話となった。そのとき始めて、コンピュータ関係者であることを知った。

老生、理系方面についての知識も関心も皆無であったので、当時、コンピュータと言われても始めて聞いたことばだった。

いや、読者諸氏よ、話は五十年前ですぞ。そのころの日本人は、コンピュータと言われてもなんのことか分らぬというのが、普通であっただろう。

鄭氏はそのコンピュータの専門家であり、アメリカ留学帰国後、すぐに政府系のその方面のメンバーとなったのである。しかも彼の勤務する場所は、細かい地名は忘れたが、台中市近くの広大な新開地にあった。それは台湾政府主導による官民協力してのコンピュータ関連の地域であった。

老生、細かいことは知らぬが、台湾の某社は、現在半導体の世界最先端技術を有しており、近く日本にその生産場所を建設するとか。

すなわち、台湾は五十年前から、ＡＩ関係の一流技術を使っての工業生産力を持っているということであり、客観的に見るならば、それは世界の宝と言っていい。

そのＡＩ関連の生産地や技術者らを、中国は台湾進攻とともに爆撃して破壊し殺傷していいのか。それは、あえて言えば、人類が新しい物を生産し、そのことによって幸福となってきた歴史の否定ではないのか。

自国の歴史、すなわち中国の歴史を顧《かえり》みるがいい。凄惨《せいさん》な歴史であった。しかも、そのような力による制覇は、結局はいずれ自己崩壊してゆくだけなのである。

古人曰く、それ勇は徳（感化）に逆《さか》らい、兵（武器）は凶器、争いは事《こと》の末《まつ》なり、と。

それ勇は徳（感化）に逆《さか》らい、
兵（武器）は凶器、
争いは事《こと》の末《まつ》なり。
『国語』越語下

徳：人格力。
兵：武器。

ウクライナ支援に日本ができること・すべきこと

ロシアのウクライナ侵攻——これは、大事件である。

と言うのは、ウクライナ内部における、つまりはウクライナ国における政変、自国民が自国内において起した武力的政変ではないからである。すなわちロシアという外国の侵略だからである。

自国に対する外国の侵略、これは許されざる犯罪である。その犯罪に対して、ウクライナは抵抗し、今のところ、五分五分に戦っているようだ。敬意を表する。

では、この件に対して、日本はどうしたか、どうしているのか、と言えば、日本国〈平和〉憲法に基づくことしかしていない。すなわち、ロシア要人の資産凍結や物資の援助等である。それ以上の行動に出ることはないであろう。

果して、それでいいのだろうか。

かと言って、日本の現状では、おそらく援助レベルを上げることがせいぜいであろう。

それではロシアへの懲罰となるには程遠《ほどとお》い。

では、どうすれば良いのか。

方法が一つある。それも〈平和〉憲法に反することなく、また一発の銃弾を放つこともなく、日本の協力でできる方法である。

まず資金を準備する。かと言って、無闇《むやみ》やたらに巨額資金を必要とするわけではない。一世帯につき年に一万円の話でいこう。

いま、仮に日本の世帯数を四百万としよう。その各世帯が年に一万円を〈税〉として出すことにすると、四百億円となる。さらに政府が予備費から百億円を出し、計五百億円。

この現金をぶっつけて、世界の小麦市場において、小麦を買いまくるのだ。

今回のロシア侵攻で、同地域の多くの映像をテレビに映《うつ》し出していたが、老生にとって最も印象的だったのは、ウクライナの小麦畑であった。

広々とした平野、そしてそのすべてが小麦畑の〈美しさ〉――あっと思った。ロシアの真の目的は、〈小麦の収穫〉にあったのではないか、と。

われわれ日本人の主食は米である。なるほどパンをはじめ小麦製品も相当量消費してはいるが、いざとなって小麦がなくなっても大丈夫、米がある。安定的に米を作っている。

しかし、欧米人の主食は小麦である。もし小麦がなくなれば、その奪いあいで、血の雨が降るであろう。

ウクライナのあの小麦平野——ロシアはそれを欲しかったのではなかろうか。なんと言っても〈食〉が政治の基盤。それが安定してなければ、政権はもたない。ロシアにとって、もしウクライナの小麦を押えることができれば、ロシアに仮に飢饉《ききん》があっても、ウクライナの小麦を収奪すれば大丈夫。もちろんウクライナの民の多くは餓死するが、それは平気。

ということであれば、今後、小麦相場を握ることが、大きな戦力となりうるであろう。

そこで日本の出番だ。前記の毎年五百億円という豊富な資金を日本の巨大商社に貸し与えて、小麦の値段を日本が決め、現物の小麦を買い取り、日本で保存するのだ。

その小麦が古くなれば、格安で日本の業者に払い下げ、小麦を使った食品を安価にさせる。そうすれば、年に一万円の小麦税に対しての間接的返却をすることができよう。

もちろん、その小麦を使っての日本外交の戦略を練る。ロシアはもちろん、小麦不足で苦しんでいる中国も、日本に頭を下げてくること、確実。いや、ロシア・中国だけではない。貧困で苦しんでいるアフリカ諸国に対して、日本は世界中から買い取った小麦を贈る

（無償もありうる）こともできよう。

今回のロシアに因《よ》るウクライナ侵攻から、真剣に日本の将来との関係を学び取るべきである。単なるニュースとすべきではない。

そして、ロシアは横暴であることを日本人はしかと胸に刻《きざ》み、許さないことである。

古人曰く、師《いくさ》（軍）〔を〕出《いだ》すも、名《な》（名分《めいぶん》）無《な》くんば、事故《じこ》（さわり）ありて、成《な》さず、と。

『漢書』高帝紀

師《いくさ》（軍）〔を〕出《いだ》すも、名《な》（名分《めいぶん》）無《な》くんば、
事故《じこ》（さわり）ありて、〔目的を〕成《な》さず。

師：軍。
名：名分《めいぶん》。
事故：さしさわり。

「武士道」を知らないアフガニスタン軍と日本大使と

わが日本国は、敗戦後八十年近くにもなるが、その間、平和ボケの日々を送ってきた。
そのため、その発想、感覚、思考……ほとんどが、平和ボケ行動となっている。
例えば、女権を主張するコワイおばはんどもは、言いたい放題言っているが、なぜそう騒げるのかと言えば、そのことに由《よ》って、罪に問われたり、殺されたりすることがないからである。安全保障つきの主張・行動なのだ。ま、言わば、乳母日傘《おんばひがさ》つきのお遊びなのである。

もし、己れのその意見や運動を正しいとし、それを主張し実質化したければ、平和日本などというところではなく、例えばアフガニスタンへ行け。そしてアフガニスタン女性のために、男女同権、言論の自由等を、声を大にして主張すべきである。もちろん、己れの身命を賭《と》してだ。

なぜそういう行動をしないのか。答は決っている。逮捕されたり、殺されるのが怖いからである。つまりは、己れの思想信条に生命を賭けるド根性など、まったくないのである。日本でなら、安全保障つきで言いたい放題。そのうちに一端《いっぱし》の〈女性運動家〉と誉めそやされて、でかい面《つら》をテレビ画面一杯。

もちろん、平和ボケは男女を問わぬ。或る記事がそれを物語っている。

実は、その記事、切り抜いて家に置いていたのであるが、老骨、その置き場所をどうしても想い出せぬ。某紙が大学生を対象としたアンケート調査。二〇二一年六月以降の新聞〈社名も忘失〉紙上で報道されていた。御存知の方は、お教え下されたし。関係者、老生の記憶の頼りなさをお許しあれ。

記憶のままに、そのアンケート調査の一部を紹介。もし外国軍が日本に攻めこんできたとき、あなたはどうするか、という設問。多くは、「自衛隊とアメリカ軍にまかせる」であった。中にはこうである。「外国へ行き、治まったころ帰国する」と。

これが、わが国、平和日本の大学生の現実である。戦争には付き物の〈略奪・暴行・殺人〉のことなど、全く念頭にない。

これが戦後平和教育の結果である。しかし、これでいいのだろうか。

思えば、明治維新。これは日本史上、最大の出来事であった。細かいことはともかく、大筋は成功し、今日の日本に至る。

その成功の基盤となった明治時代について忘れてはならないことがある。すなわち、旧武士の存在である。

仮に、明治維新当時に当人が十五歳であった場合、引退を六十歳とすると明治末。言わば、明治一代さらに大正十五年あたりまでの期間には、発想や気分等々において、武士の精神性の影響があったと見てよい。

ロシア勝利、日本敗北が大半の予想であった日本海海戦における日本勝利の原動力となったのは、武士の精神性であった。

もちろん、精神性だけでは戦争に勝つことはできない。しかし、たとい現代においても、国軍に精神性がなければ、いかに軍備を整えても、それは積木の装備でしかない。

それをよく示したのがアフガニスタン軍である。同軍は、上から下まで、ピン撥《は》ねはもとより、収賄《しゅうわい》が横行、組織の態《てい》をなしていなかった。最高責任者の大統領自身が大金とともに逃亡したのであった。当然、十分な軍備を有していた同軍も、反政府軍とまったく戦わず、武器を放置し、逃亡してしまっている。

その理由はいろいろと言えよう。しかし、老生はそれを一言で示し得る。アフガニスタン軍には、武士道がなかった、と。

では、今の日本はどうか。他者を嗤《わら》えぬわ。アフガニスタン大使の岡田隆は、アフガニスタン政権交代の重大時の前に、なんと出国して隣国にいたという。英国大使は、イギリス関係者のすべてを出国させ、最後にアフガニスタンを去ったとのこと。日本の大使の岡田某とやら、口惜しければ、日本国、日本人への謝罪として割腹（辞職）して見せよ。

古人曰く、〔為政者の〕信《まこと》は、国《くに》の宝《たから》なり。民《たみ》の庇《たよ》るところなり。〔信《しん》を〕失《うしな》ふべからず、と。

〔為政者の〕信《まこと》は、国《くに》の宝《たから》なり。
民《たみ》の庇《たよ》るところなり。
〔信《しん》を〕失《うしな》ふべからず。
『春秋左氏伝』僖公《きこう》二十五年
信：言葉に嘘偽《うそいつわ》りがない。
庇：頼《たよ》る。

専守防衛ほどカネがかかるものはない

老生、素浪人である。当然、名刺はない。さりながら、新しい人との出会いが時々あるので、名刺があれば便利と思うことあり。

その点、家においては気楽。もちろん、家人の指揮下の兵士である。しかし、兵士は気楽気楽。家人の命令をこなしておけば、それで良し。あとはテレビを観て悠々。

さて或る日、指揮官（家人）から特命が下《くだ》った。〈烏《からす》問題〉を解決せよ、と。

烏問題とはこうである。週に二回、家庭ゴミの収集がある。もちろん大阪市の仕事。実質的には業者が回収。その回収日、各家庭は家庭ゴミを家の前の道路に出しておく。

本来ならば、それで終り。ところが、家庭ゴミの中の残飯を狙う輩《やから》がいる。第一は野良猫（近ごろは地域猫と言うらしいが）、第二は烏である。この連中、厚かましく、ビニール袋を破って残飯を漁《あさ》る。もちろん、散らしまくって、ゴミの山。大阪市の回収車は散らばった残飯など拾《ひろ》い集めたりしてくれない。

そこで、包んだゴミ袋に対して、大きなネットで更に包んでおく。その包み口はゴミ袋の下にもぐらせておくので、まずは安全。野良猫は、あっさりとパスしてくれた。

ところが、烏は違う。奴らは執念深く、まず外覆《そとおお》いのネットを引っ張って引っ張って、中の包んだゴミ袋に嘴《くちばし》が届くまでがんばる。後《あと》は、乱暴狼藉《ろうぜき》の数々。

この烏軍からの防衛を命ぜられたのである。家人指揮官から。兵士としては、承詔必謹《しょうしょうひっきん》。大変よのう。

そこで考えに考えた。御近所の諸対策も拝見。教えてもいただいた。結果、ほぼ三センチ平方の網目となっている鉄製ネットを百均で買い、組み立て、厳重に縛ってゴミケースを完成した。もちろん、天井は出し入れ口の蓋《ふた》をつけた。底はなし。烏はどこからも入れない。回収者は蓋をあけてゴミ袋を持ってゆく。

どや、烏ども。「カーラース、なぜ鳴くの。カラスは負けた……」と意気揚々。

ところが数週間後、残飯の一部が散乱していたのである。頭脳明晰《めいせき》な烏どもは、その長い嘴を三センチ平方の空間から突っこみ、ビニール袋を突《つつ》きまくって破っていた。

ではどうするか。今、老生は烏対策に熟慮熟慮中。つまり、どのように防衛するか、だ。

ここである、攻撃と防衛と。その最大拡大版こそ、国家のそれである。それも日本の。

日本は専守防衛などと称している。憲法がそうさせている。

これほど珍妙な話はない。残飯漁りの烏に対して、老生は専守防衛するだけであるので、烏どもは、老生が現われると、ひらりと道路の向い側に跳んで悠々と歩いておるわ。あのドス黒い風体《ふうてい》で闊歩《かっぽ》、というところ。

これは尖閣諸島（餌《えさ》）の周辺に出没する中国船団（烏）に対する日本（老生）の専守防衛（あれこれ防衛）という状況そのものではないか。問題は、攻撃側が有利ということだ。とあれば、〈専守防衛〉の徹底という方法をさらに深化させてゆくほかない。

それは、攻撃より防衛には費用がかかるので現在の防衛費を遙《はる》かに上回《うわまわ》る予算を必要とするということである。専守防衛であり、侵略国の本土に対して攻撃ができない不利にある以上、敵の攻撃を十分に防衛できる防衛をする他《ほか》に道はない。そのための予算拡充は必須である。

しかし、国軍である自衛隊の予算は、日本の国力から見て非常に少ない。とても専守防衛という目的を達することはできない。日本では、義務教育以来、専守防衛と観念的に言うだけであって、その専守防衛を可能とする予算計上は、論じられていない。

専守防衛に徹するならば、それを可能にする、つまりは敵の攻撃に対抗できる準備のための巨額の予算を組むべきである。世上の左筋はそこまで考えているのであろうか。

今、どうなのかが問題なのである。

古人曰く、俗儒《ぞくじゅ》は時宜《じぎ》に達せず。古《いにしえ》（専守防衛）を是《ぜ》とし今を非《ひ》とするを好み……守る所を知らず。何ぞ委任するに足らん、と。

> 俗儒《ぞくじゅ》は時宜《じぎ》に達せず。
> 古《いにしえ》（専守防衛）を是《ぜ》とし　今を非《ひ》とするを好み……
> 守る所を知らず。
> 何ぞ委任するに足らん。
>
> 『漢書』元帝紀
>
> 俗儒：人気取りを第一とする三流学者。
> 時宜：現在への対応。
> 古：専守防衛。

農業大国アメリカの小麦輸出縮小に戦々恐々の中国

老生、英語力がない。だから、例えばアメリカについて何かを知ろうと思えば、日本メディアの情報に頼るほかない。そのため、日本メディア情報に瞞《だま》されたこと、しばしば。けれども、それは己れの浅はかさの罪。要は、他国のことについては、よく分らないという気持を持てということであろう。

しかし、英語力がなくアメリカ情報がなくとも、中国に対するトランプ大統領の戦略、その胸中に秘めたカードが何かを見ることができる。なぜなら、老生、中国について若干の知識があるからだ。そこでそのカードについてお話してみよう。

経済のこと自体、具体的には貿易のこと自体について、老生、もとより何も分らない。しかし、トランプが大きな声で言っていることを聞くと、その本質はすぐ分った。まずは貿易不均衡。中国との関係で言えば、中国は黒字、アメリカは赤字。その貿易不均衡を逆手に取って、中国政権の崩壊への脅《おど》しを掛けるという戦略である。

その戦術として、自国の貿易赤字を減らすため、輸入品に対して関税を多く掛けることを中国にまず通告した。ただし、三段階にして変えてゆく方針。

顧《かえり》みれば百五十年前、明治政府は貿易不均衡に苦しんだ。ふつう、自国の貿易赤字を正すためには、外国からの安い輸入品に対して関税を掛けて価格を自国製品と同一にして自国の経済を守る。

しかし、幕末に結んだ欧米列強との条約には、自主的に関税を掛ける権利がなかった。そこでそれを得ようとして条約改正へと苦労した。後に改正に成功するが。

しかし現代では、輸入品の価格が不当に安ければ関税を掛けて自国の生産商品を守るのが常套《じょうとう》手段となっている。

さて話をもどすと、米中の貿易不均衡問題において、アメリカが対中制裁関税を発動したところ、中国は対抗してアメリカから輸入している大豆に二五％の関税を課した。

と書くと、多くの人は驚く。中国は大豆を輸入しているのか、と。なぜなら中国は農業国と誤解しているからである。しかし、世界の農耕可能地を一〇〇％とすると、中国はわずか七％なのである。農産物を輸入せざるをえないのだ。

中国では大豆で食用油を採り、その大豆粕《かす》を豚の飼料としている。すると、中国が関税を上げるということは、アメリカから輸入のこの豚の餌の価格を自分で二五％上げたことになる。当然、国内の豚の価格が上がる。もっとも、輸入大豆の五三％がブラジルから、三四％がアメリカからであるから、取り敢えずはブラジル産大豆で凌《しの》げるが、その先は見えない。

中国は、関税によってトランプの支持基盤であるアメリカ農家が収入減となり、トランプ支持が揺らぐという戦術であろうが、なんといま中国は、トランプの諸要求に対して素直に従っている。これはなぜか。

答は明らかである。中国は、トランプが対抗策として、次に切ってくるカードが恐くて恐くてたまらないからである。

十年以上も前のデータであるが、中国は主食の小麦を大量に輸入してきている。農業国ではないからである。アメリカ・カナダ・オーストラリア三国からの小麦輸入量は三千万トン。一億人の年間消費量は一千万トンであるから、三億人分の小麦をずっと輸入し続けている。この小麦を主食とする中国北方にとっては、小麦の輸入困難は死活問題となる。

中国人は豚肉が好きでほぼ常食。中国北方の主食である小麦とともに、両者が十分に人々に行きわたらないとなればどうなるか。人間、食が十分でないときは、必ず実力行使する。暴動だ。

となると、トランプの胸中に秘めたカードすなわち中国への小麦輸出量の縮小が、中国は恐くて恐くてたまらない。そこで、貿易問題を大豆問題あたりで終了をと中国政府は願っていると見る。

古人曰く、未《いま》だ乱れざる〔時〕に、治《ち》を制《せい》し、未だ危《あや》ふからざるに（危機が訪れない時に）、邦《くに》を安《やす》んず、と。

未《いま》だ乱れざる〔時〕に、治《ち》を制《せい》し、
未だ危《あや》ふからざるに（危機が訪れない時に）、
邦《くに》を安《やす》んず。

『書経《しょきょう》』周官

未乱：乱れていない時に。
治：政治の安定。
未危：危機が訪れない時に。
安：安定させる。

手段を択《えら》ばぬ中国人に勝つための非軍事戦略

日本は平和である――これ、大嘘。ま、言ってみれば、餓鬼大将（アメリカ）がいて、わがヤマトはその御《お》大将に胡麻《ご ま》をすり、守ってもらっているというのが事実。

もっとも、自衛隊は存在する。しかし、諸法律で雁字搦《がんじがら》めとなっている。緊急事態となっても、こちらから先制攻撃することは法的にできないという話になっている。向うから攻めこんできて始めて戦うとのこと。

これでは、下っ端の褌《ふんどし》担《かつ》ぎが、物真似で、常に受けて立つ横綱相撲《よこづなずもう》をするようなもので、とてもまともな話ではない。

ただし、もちろん戦争はあってはならない。当り前の話。とすれば、どのようにして戦争をせずに勝つかである。

それには、いろいろな方法がある。一例を挙げよう。ベトナム戦争のとき、米軍は現代戦力に依り優勢となった。そこで敗戦必至のベトナムを支援するため、中国は、米軍に対する必勝の策略を立てていた。それは結局は実現されなかったが。

こういう軍略である。軍服は着るが、武器は一切持たず、両手を挙げ、米軍に降参する。その数、一万人。そして翌二日目、同様の兵が一万人、投降する。投降兵であるから、食べさせ、住まわせなくてはならない。二万人となると大変。ところが三日目に、またも一万人が降参してくる。戦略的降伏である。これを毎日続けてゆく。

米軍はどうするか。無抵抗の捕虜三万人の宿営を準備しなくてはならない。もちろん食料・衣服も。と言っているうちに翌日、また一万人が着用の軍服以外、無装備で降伏。たまったものではない。しかし、もし対応を誤ると（例えば食事を抜く）、捕虜虐待となる。米軍は、アーもスーもなくただちに休戦協定に入らざるをえない。

というふうな軍略を中国側は本気で練っていたのである。勝つためには、有利になるためには、どんなことでもするのが、中国人の本質なのである。歴史上のさまざまな軍略を見れば、勝つためには、どのようなことでもするというのが中国人であることがわかる。

とあれば、日本もそれに対抗できる策略を考えなければならない。ところが、諸意見は、純然たる軍事戦略が大半である。その筆者も、元自衛隊幹部が多い。

それはそれでよい。しかし、総合戦略としては、まったく別の非軍事的戦略もある。

それは何か――と書き出して、実は或る自己嫌悪を覚える。と言うのは、この案、もう数十年も前から何度も書いてきたのだが、政治家、自衛隊等の関係者のだれ一人として、それを取りあげた人はいないからである。

その意味で、いささか気力を欠くが、お国のため、ここにもう一度述べることとする。ただし、略述するにとどめる。

では始める。敵を攻めるには、その最弱点を攻める。当り前である。

中国の最弱点は何か。ずばり食糧それも主食の小麦不足問題である（一七一ページ以下参照）。中国大陸は長江《ちょうこう》を境に南北に分れる。南部の主食は米。これは十分にある。しかし、北部の主食の小麦は不足。近年、小麦輸入量は一千万トン（一億人の一年間の消費量）と公表されるが、私は信じない。三十年前の不足量は三千万トン。ではこの三十年間で小麦増産に成功したというのか。嘘だ。中国の北半分において二千万トンの増産をしたという証拠はあるのか。ありえない。と言うのは、北方農業の要《かなめ》である黄河《こうが》の水量が減りに減っているからだ。

オーストラリアの移民において中国人が激増しているのは、将来、オーストラリア産小麦を狙っているからと断ずる。

アメリカは軍事力と農業力とが世界一だから強国。中国は農業力不足なので対抗できない。とあれば、小麦で勝負だ。ここに日本の巨大商社の出番がある。すなわち数十兆円を商社に無利子で貸して、小麦を日本が買い占めることだ。残念、ここで紙数が尽きた。では又。

古人曰く、籌策《ちゅうさく》（策略）を帷帳《いちょう》（野営の本陣）の中《うち》に運《めぐ》らし、〔それを使って〕勝《かち》を千里の外《そと》（遠いところ）に決《けっ》す（勝利する）、と。

籌策《ちゅうさく》（策略）を帷帳《いちょう》（野営の本陣）の中《うち》に運《めぐ》らし、〔それを使って〕勝《かち》を千里の外《そと》（遠いところ）に決《けっ》す（勝利する）。

『史記』高祖本紀

籌策：計略。
帷帳の中：本陣内で。
千里の外：はるか遠いところ。
決：（勝を）定める。

インドに対中自衛隊基地を置け

コロナ、コロナの日々。この世には無用者の老生、コロナ、コロナ用心と言われなくとも、どこへも行く当《あ》てはないわいな。

という日々、楽しみは〈石原裕次郎のすべて〉というCD。聞かせる、泣かせる、そして想い出させる——昭和三十年代の日々。このド厚かましい老生にも、かつて青春はあった。という惰眠《だみん》の中、夢を見たのじゃ、なんと対中戦争のな。これは捨ておけぬ。

いま、中国は軍事力増強を図っている。これに対して、日本も同じ軍事力増強をという声がある。しかし、それはあくまでも軍備であって、具体的な戦闘対応ではないので、その有効性には疑問がある。

例えば、中国から核を撃ちこまれたならばどうなる。日本は核武装ができない、いや許されない。また、核を撃ちこまれたあと、日本はどういう方法で反撃するというのだ。もちろん、核弾頭が飛来してくるとき撃墜《げきつい》するという方法があるが、適中できるかどうかは定かではない。

もっとも中国側にも難点がある。仮に東京都を核攻撃し、成功したとしても、核汚染されているので、すぐには廃墟の東京へ進軍することはできない。もちろん中国兵が目的とする略奪もできない。すなわち富を得られない。

となると、核攻撃は、その戦後の政治戦略から言えば下策である。日本の政治制度や財産が壊滅してしまうからである。

では、核なしとしての通常戦となるとどうなるのであろうか。

中国は広い国土であるから、少々の普通攻撃を受けても、何もこたえない。日本からの有効な攻撃目標を設定するのは、なかなか困難なのである。地の利とでも言うべきか。

では、どうすれば良いか。

日本は、現在、核を持つことができない以上、核攻撃以前の前近代的な攻撃しかできない。現在、それで行くほかない。となると、通常兵器による最大効果を考える道しかない。その答はあるのか。ある。

こうする。中国の長江（いわゆる揚子江《ようすこう》）の上流に巨大な三峡ダムやその他のダムがある。その上流にさらに大きなダムがある。そのダムの水を堰《じき》とめている擁壁《ようへき》（セメントと鉄骨とで構成）を爆破攻撃することだ。その地域は上空から丸見えであり無防備。仮に撃ち損じても、ダムが貯めた水中で爆発すれば、大量の水が動き、その力で擁壁は崩れる。

こうして決壊したあと、大洪水・大土砂が下流へ向い、三峡ダムを始めとして諸ダムが次々と破壊され、長江の中心地域（例の武漢も含めて）は水没。被害は甚大となろう。

この攻撃を可能にする一点に集中して、実現可能な軍事計画を作ることだ、防衛省が。それは、日本は核を持たずとも、核を持つ中国を屈服させ得《う》る戦略の一例である。

では、そのダム攻撃のための近隣の出発地が必要となる。日本からでは遠すぎる。どうすれば良いか。こうである。

現地は中国南方の奥地であるから、その近隣に攻撃用出発地を求めると、地理的には、インド東端のアッサム地域（その北方隣接国が親日国のブータン）が最も近い。そこに基地を備えればいい。インドは国境に関して対中国関係が悪いので、話に乗る可能性がある。

当然、インドとは一定の条約を結び、必要とあらば、インドへの経済的支援をそれこそ惜しまない。

かつて英国からの独立を図ったインド民衆は、大東亜戦争（アメリカ側から言えば太平洋戦争）において旧日本軍から多大な協力を得た。基本的に両国は友好関係にあるではないか。

もちろんさまざまな困難はあろうが、まともな国家日本の、まともでない国家中国に対する重大方針に対して、おそらくインドは同意してゆくであろう。インドは勝れた友好国が欲しいからである――というところで、老生、惰眠から眼が醒めた。夢のまた夢かのう。

古人曰く、諺《げん》に曰《い》ふ、鳥《とり》　窮《きゅう》すれば則《すなわ》ち啄《ついば》み、獣《じゅう》　窮すれば則ち觕《つ》き、人《ひと》　窮すれば則ち〔智恵を尽して〕詐《たば》かる、と。

諺《げん》に曰《い》ふ、
鳥《とり》　窮《きゅう》すれば則《すなわ》ち啄《ついば》み、
獣《じゅう》　窮すれば則ち觕《つ》き、
人《ひと》　窮すれば則ち〔智恵を尽して〕詐《たば》かる。
『淮南子《えなんじ》』斉俗訓《せいぞくくん》

諺：教訓。
啄：強くつつく。
獣：牛。
觕：つのつく。
詐：人をだます。

道徳的〈権威〉が生まれようもない国々

コロナ禍の中、世界の人々はその対処だけに懸命かと思っていたが、どうやらそうでもないようだ。ここ最近、世界各地において政変あるいはそれに近いことが起っている。

例えば、ミャンマーにおける政変、ロシアにおける大規模のデモ……。

それらに比べて、我が国は天下泰平。その理由の第一は、お上《かみ》に対する日本人の従順である。これは、理屈から来ているのではなくて、感覚から来ているもの。その結果、あれこれと驚くべき大事業をつくりあげている。

例えば、健康保険。現状の日本人は体調が悪くなると、すぐ医院・病院に駆けこみ、安い費用で治療を受けることができる。たとい重態となっても大丈夫、安い費用で済む。

しかし北欧では、高額費用に依る老人の大手術の場合、公的委員会で審査し、余命時間との兼ね合いを検討し、場合によっては保険適用の大手術を認めない決定をするという。

もちろん自費ならば御随意にということ。

すなわち、なんでもかんでも保険適用ではない。なぜなら、皆で出し合った金銭に依る社会保険なのであるから、赤字にならないようにという自助努力の現われなのである。それに比べて日本は、社会保険は人々の努力でつくりあげたので赤字にならないようにというような見識や感覚は、まったくない。

なぜか。社会保険はお上の管轄だから（半分はお上のゼニだから）、とぶらさがり、とことん出してもらえると思っているからである。お上もお上で、そう思っているので、どれほど大赤字になっても、平気の平左《へいざ》。こう嘯《うそぶ》いている、万札、刷ったらいいじゃん、と。天下泰平であるわな。

と見てくると、世界各国の政治は、形の上では、国民参加のいわゆる〈近代国家・現代国家〉流に見えるものの、その実態はその国の個別的歴史や文化を背景としていることを見落としてはなるまい。諸国それぞれの歴史的文化的感覚・発想をまずは看破だ。

例えば、アフリカの某国の場合、国連筋の対外援助金を受けても、その大半は幹部連中の懐《ふところ》に入ってしまい、国民のために予算化されないでいる。どうしようもない。

となると、まずは国家や国民を動かす権力ならびに権威の問題となろう。

権力とは、その組織の人事権と予算配分権とを握っている物理的なものである。権威とは、権力のような物理的なものではなくて、精神的・道徳的なものであり、それに対する敬意を求める。それを東北アジアの現代に見てみる。

権威・権力の両者を握り、人々をして己れに対して尊敬せしめる政治体制の典型は、血縁の続く王朝や皇帝制である。その流れを汲んでいるのが北朝鮮である。

中国の場合、権力は習近平が握っているが、彼個人には権威はない。ではどうしているかと言えば、憲法に拠っている。すなわち政治体制は「社会主義」であることを明記している。この「社会主義」が、共産主義を含むことは、言うまでもない。

日本では、もちろん権力は首相が握っているが、権威はない。権威は皇室にある。

古代では、天皇は中国王朝の皇帝と同じく権威と権力との両者を握っていた。しかし、鎌倉幕府誕生とともに武力支配権を失ない、それを取り返そうとしたが、承久《じょうきゅう》の乱で敗れ、しだいに権力を失なってゆく。しかし、権威だけは残り続け、今日に至っている。現在では、天皇の権威には政治的意味はないが、精神的・心情的には日本国民において権威として生きている。

さて残るは韓国。大統領制に依っているが、どの大統領も、任期満了後、逮捕され処罰の刑務所暮し、あるいは自決している。悲惨な運命というほかない。これでは権威など生れようもない。権力はあるが、それによる悪業が己れを葬《ほうむ》っている。

古人曰く、火《ひ》　崑岡《こんこう》（山名）に炎《も》ゆれば、玉石《ぎょくせき》　倶《とも》に焚《や》く、と。

火《ひ》　崑岡《こんこう》に炎《も》ゆれば、
玉石《ぎょくせき》　倶《とも》に焚《や》く。
『尚書《しょうしょ》（書経）』胤征《いんせい》

崑岡：崑崙山《こんろんさん》のこと。中国の西方にあり、美玉を産するとされた。

政治宣伝に追従する学者チンドン屋

「難癖《なんくせ》を付ける」ということばがある。もちろん上品なことばではない。やくざ者が人に言掛《いいが》かりをつけるようなときを表すことば。

韓国政府（前任の文在寅政権）が日本国に対してあれこれ言っていたことは、要するに「難癖を付けている」の一句に尽きる。

しかも或る珍妙滑稽《こっけい》な感情がそこに隠れている。もちろん、これは老生一人の直観である。しかし、それは正鵠《せいこう》を射ていると自信を持っている。

それは何か。

一言《ひとこと》で言おう。それはゼニ欲しさである。これまで、韓国は日本国にあれこれ難癖を付けては、高額の金銭を日本国から得てきた。もちろん、これまでの日本の政権担当者がだめだったからである。応じる必要のない話にも、〈結局は〉応じてきたと言っていい。

韓国の言動は幼児的。幼児があれ欲しいこれ欲しいと大声で喚《わめ》くと、気の弱い、人の好い親は、なんでも応じる。それと同じ構造。

ところが、安倍晋三政権は韓国のその利己的行為に対して拒否をした。お美事《みごと》。韓国は当てがはずれた。慰安婦とやらの、架空の話で金銭を引き出したのであるから、次は徴用工とやらで、と思っていたのに、当てがはずれたわけである。気の毒じゃのう。

ふつうならば、戦術を誤まった以上、ここは暫《しばら》く静かにして、戦術を練り直す、ということになるはず。しかし、そういう冷静な態度を取れず、繰り返しの突撃。もちろん成果など出るはずもない。その絶望的突撃の果てに待っているものは、言うまでもない、文在寅の逮捕、そして朴槿惠《パククネ》元大統領と同じく監獄暮しとなろう。そういう紙芝居が見え見えである。

さてそこで、ここからもっと面白い田舎芝居が始まる。もちろん日本においてである。それは、文政権支持の応援団のこと。すなわち文政権ヨイショの日本人ども。その中でも、いわゆる学者先生らが先頭に立つ。

その〈錦《にしき》の御旗《みはた》〉？は〈歴史修正主義の否定〉である。

この歴史修正主義とやら、老生、よく分らぬ。歴史はだれも否定できない事実に基づくものであるのに、なにやらそれを枉《ま》げて修正すること、の意のようである。もちろん、ユダヤ問題を含む欧米の理論から来ている。

老生、欧米アチャラカのことは知らぬ。しかしな、歴史に修正はならぬ、歴史は正しく定まっておる、という観点は、中国研究の立場から言えば、中国には〈正史〉というものがあり、歴史の真実はすべてそこにあるとするのと同じ。そこに記されていないもの・ことは、すべて〈野史〉とするという話になろうか。

とすると、歴史修正主義に依るものは、正史ではなくて、野史の類《たぐい》であり、問題とするに足りない、ということに近いか。

この歴史修正主義批判は、どうやら左筋の道具らしい。例えば、日本国は韓国を植民地にした悪いヤツ、という前提（正史）を置き、それを修正した見解（日本が小学校教育・農業振興・ハングルの社会化……それらを実現したこと）は、野史であり、問題とするに足りない、ということらしい。

ま、一言で言えば、真の実証的事実研究を追い出した政治的宣伝（プロパガンダ）が正史ということのようである。

中国におけるその正史も、かなりインチキなものであった。例えば、正史のいわゆる『三国志』の撰者《せんじゃ》、陳寿《ちんじゅ》という男は、伝記の材料となった人物の一族に、金銭《かね》を出したら、立派な人物像に書くと持ちかけたりしている。

正史、正史、歴史、歴史――お上《かみ》のなさること、それにまちがいなどござりませぬ、という台詞《せりふ》通り、韓国の主張は正しいのだ、日本国は彼らのそれを受け入れよ、という韓国ヨイショの日本人チンドン屋がいずれ現われる。なんとか大学の教授とやらだ。しかし大半は、学問的業績は三流のチンドン屋である。

古人曰く、〈勢いづいている〉炎《ほのお》に〈向《むか》って〉趨《はし》り、熱《あつ》きに附く、と。

〈勢いづいている〉炎《ほのお》に〈向《むか》って〉趨《はし》り、熱《あつ》きに附く。
『宋史』李垂《りすい》伝

炎：調子よく声高《こわだか》なもの。
熱：その勢《いきおい》に。
附：べったりしがみつく。

韓国の若者の悲劇は事大《じだい》主義の伝統

新型コロナウイルス感染症——長い名前であるわ。要するに大流行風邪《おおはやりかぜ》のことよ。そもそもカゼウイルスなどというのは、いつでもどこにでも居《お》るもの。体調が普通であると、ほとんどの場合、罹《かか》っても、人間は死にはせぬ。事実、日本における罹患《りかん》者のほとんどは回復し、死に至る者は比較的には少ない。

にもかかわらず、どうしてこうも騒ぐのであろうか。身体を暖かくし、睡眠を十分に取り、しっかりと食事をいただき、働きすぎない——これは人間生活の基本であり、大半の人々はそれを守って生活している。当然、免疫力は高い。そういう生活者のところに新型菌が入ってきても、自己増殖は困難である。仮に発症したとしても、日本人の免疫力が高いので、軽い症状で終るだろう。そんなこと、医師に言われなくとも、だれでも知っていることではないのか。

もちろん、不要不急の外出は控える。老生、老人であり、そのことはよく心得ている。

とは言うものの、残念なことが一つある。

それは、これぞという映画を観《み》にゆけないことである。もちろん、行こうと思えば行けるが、映画館は閉鎖空間であるから、はやりかぜに罹る可能性は大。となると、映画にわざわざはのう、というわけで今は控えている。

そういう折、なんと米アカデミー賞の作品賞に、外国語作品として、始めて韓国映画の「パラサイト　半地下の家族」が選ばれたとのこと。日本でも評判が高く、観客動員数がなんと二百二十万人を突破という。

観に行けない、残念。しかし、産経新聞（二〇二〇年三月六日付）に石川有紀記者が、同映画のキーワードとして三者を挙げている。

第一は、半地下住宅（劣悪な住居）、第二は、財閥経済（韓国を動かしている実力者）、いま一つは格差。

老生、韓国語は分らず、同国の実情、いや実状は知らない。しかし、石川記者のそのリポートを日本の現実と比較してみると、日韓両国の相違がよく見えてくる。

まずは財閥。日本は先の敗戦後、勝者のアメリカによって財閥（三井、三菱、住友等）は解体させられたので、今は財閥は存在しない。では中小企業はどうか。石川は、韓国では財閥企業が国内総生産（ＧＤＰ）の四割超を占めるが、中小企業は育たず、と言う。ここだ、問題点は。

日本は、その財閥時代においても、中小企業は発達していた。中小企業主たちのすぐれた職人気質、伝統を守る心意気――それらは江戸時代に発達した商業活動と共にあった。その流れは明治時代になっても絶えなかった。世界に先駆《さきが》けて、信用という道徳の下、為《かわ》替《せ》の原形はすでに鎌倉時代に生れ、江戸時代に発達していった。道徳性あるそうした商業活動は明治以降も受け継がれていった。だからこそ、敗戦後に日本の財閥が解体させられても経済活動はびくともしなかったのである。

韓国における強固な財閥力などというのは古代王制的である。もし財閥解体があれば、非道徳的商業活動と化し、混乱すること必至である。まともな中小企業などないからだ。

韓国財閥の強大さは大学生の意識を造る。すなわち大企業への就職を第一とする。石川に依れば、大学卒業後も就職せずに大企業への就職活動や公務員試験の受験を続ける者が増加とのこと。しかし、冒険精神がないそういう超安全志向の若者などは、戦力にならない。いずれ韓国財閥や公務員の世界は、役に立たない連中の集まりとなることであろう。いや、それはもう始まっている。最近の彼らの愚かな言行を見れば。

財閥への就職や公務員志望――そのありかたは朝鮮民族に伝統的な事大思想の表現。「事大」とは「大に事《つか》える」すなわち「大会社や役人という巨柱《きょちゅう》に奉仕する」というのが人生の目的となっており、一人立つという〈志〉が見えない。そういう発想が第一の社会には、未来はない。

古人曰く、功《こう》の高《たか》きは、惟《こ》れ志《こころざし》。業《ぎょう》の広《ひろ》きは、惟《こ》れ勤《きん》、と。

功《こう》の高《たか》きは、惟《こ》れ志《こころざし》〈にある〉。
業《ぎょう》の広《ひろ》きは、惟《こ》れ勤《きん》〈にある〉。
『書（書経）』周官

功：働らき。
志：志を立てる。
広：広まるを望《のぞ》む。
勤：勤勉さ。

第五章

日本文化の深奥

森林管理士・離島管理士を養成せよ

木曽は塩尻、講演に行った翌日、塩尻・名古屋間、不通ときた。大雨による被害。やむをえず、塩尻から東京に回って、帰阪となった。このコース、始めて。塩尻から乗った特急は、おお、あずさ十号。名曲〈あずさ2号〉ではなかったが、いささか悲局と希望との入り混った気分で、車窓から木曽の山々をずっと眺めながらの帰途についた。

しかし、風景は無惨であった。山間の田畑の多くは休耕田であり、雑草が繁茂《はんも》。多くの地方と同じく、その雑草も二種が蔓延《はびこ》っている。

その一つは外来種で、戦後日本、全国に広がったセイタカアワダチ草。

いま一つは、昔から在《あ》る葛《くず》。この葛の花は、歌人に詠《よ》まれることが多かった。「葛の花　踏みしだかれて　色あたらし　この山道を行きし人あり」（釈迢空《しゃくちょうくう》）――などと、風雅な話をしている暇はない。葛の蔓《つる》は、伸《の》びに伸びて田畑を覆ってしまっている。

いや地面だけではない。近くの木に対しても絡《から》まり、木の幹に巻き付いて上へ上へと伸びていっている。その間、もちろん、葉を満載しながら。木は弱ることであろう。

これでいいのであろうか。

田畑の場合、個人の所有であるから、他者は口に出しにくいであろう。けれども、公有地の場合は、国や公共団体が管理すべきであるし、個人所有地の雑草に対しても適切な助言をすべきではなかろうか。

となると、例えば、国家資格としての森林管理士という公職を作り、全国的に国有地の専門的管理を行なってはどうか。もちろん、私有地に対しても適切な助言や指導も行なう。現在、林野庁が管理を担当しているのであろうが、それの専門機関指導者を作ることだ。もちろん、その研修は充実したものとする。

さらに言えば、山のみならず、海にもまた問題がある。すなわち最近の調査では約一万四千餘《あまり》ほどある離島の問題である。以前、老生はどこかで提言したことがあったが、この離島に対して国家資格の離島管理士という公職も作り、離島の国家管理をすべきである。

この離島管理や森林管理においては、警察権の一部が必要であろうので、警察庁の所管としてはどうか。

すると、森林管理士・離島管理士の養成が必要となる。ならば、現在、つぶれかかっている私学の一つを買収し、(仮称)自然環境大学校を創設し養成してはどうか。文科省の所管なら「大学」であるが。

全員、寮生活。授業料無し。寮生活費等に月十万円とすると四年で五百万円。これは貸与とするが、卒業後、森林・離島の勤務を五年間すれば返済免除にする。卒業後のその勤務は体力的に厳しいので、五年後、一応、退職する。その退職金は一律二千万円。もし勤務の継続を希望すれば、もちろん可。

尖閣諸島・小笠原諸島や北海道等、重要拠点において、管理士たちが国運を担って勤務していただければ、これほどありがたいことはない。

現在、街を歩けば、ブラブラしている若者が多い。その多くは、親の臑齧《すねかじ》りである。大学に進学しても、これという知識も技能も身についていない。結局、ブラブラするしかない。まったく空白の青春である。

これでは日本は先細り。ならば、彼らに技能を練る学校や生き甲斐のある仕事を与えようではないか。誇りを持つ人間をつくろうではないか。

日本の真の財産は、森林と海洋とである。この森林と海洋とを守り、米作農業を安定的に継続することができれば、日本は生き残ることができる。いざとなれば、工業関係の大半は外国から国内へ撤退し、外国からの受注だけに徹することだ。もちろん高額を要求する。世界は日本の優秀工業製品なくして動けないので、工業は高価格で生き延びられる。

すなわち、グローバル化ではなくて、新しい形の〈現代の鎖国〉をすることだ。

古人曰く、九層《きゅうそう》の台《うてな》（高層建築）も、累土《るいど》（土の積み重ね）より起《おこ》る、と。

九層《きゅうそう》の台《うてな》（高層建築）も、
累土《るいど》（土の積み重ね）より起《おこ》る。
千里の行《たび》も、足下《そくか》より始まる。
『老子』六十四

九層：九階建て。
台：高殿。
塁土：土の積み重ね。
行：旅行。
足下：足もと。

日本人の価値観と合わないカルロス・ゴーンの貪欲《どんよく》さ

今も絶えない話題は、日産のボスだったカルロス・ゴーンという男の話。

もちろん、老生、その銭勘定の厚顔な大脱税に対して税務署が手薬煉《てぐすね》引いて満《まん》を持《じ》しているる話や、おもしろおかしくあれこれ出てくる噂話を楽しんでいる。まことに、人の不幸は蜜の味——満喫しておるわ。

という小人の老生ながら、ゴーンの金銭感覚に対しては、大きな違和感を覚える。

ゴーンは、こう言ったそうな。欧米では、会社の優秀経営者が億を超える報酬を得るのは珍しくない、と。

このことば——出るべくして出たと思う。と言うのは、会社なるものの意味が、われわれ日本人（中国人や朝鮮人ではないことに御注意）と決定的に違うからである。

物事を忘れやすくなった老生、読んだ書名を忘失してしまったが、会社についての由来の説明をかつて読み感心したことがあった。以下、記憶のままに記すが、過誤については、遠慮なく御教正あれ。

書名忘失書はこう述べていた。北欧（デンマーク・ノルウェー・スウェーデンなど）は貧しい土地であったので、他人の富を略奪していた。彼らは仲の良いグループそれぞれで貧しいながら資金（実際には木材など）を出して船を造り、男どもは海賊となりヨーロッパ各地に侵攻し略奪した。バイキングである。

その成果を挙げて帰国。そこで出発前の出資の額に応じて略奪物を分けた。その活動期間中、女性・子ども・老人は共同生活をして自活し、かつ共同で安全を守っていた。使った船は傷《いた》んでいるので海上で燃やして沈める。整備の手間がかからない。しばらくしてまた、次の出資を募り、船を新造して、海賊業を営む。これは、狩猟民族の発想・感覚である。

この発想、思想、運営等々が発展して、いわゆる会社に発展していったとのこと。これでよく分るではないか、ゴーンの行動が。会社を船として見よう。①会社は発展して成果を挙げれば、その目的を果した以上、つぶしてもいいとなる。②会社は出資者へ出資額に応じて配当をできるだけ変える。③帰国できたのは土としてリーダーの功績だからリーダーに対しては配当を多くとなる。

こういう海賊船と比べて、日本の店は、まったく異なる。海賊船は能力主義であり、狩猟民族的である。しかし、江戸時代のわが国の店は共同体であり、お店（お家）大事がモットー。だから配当などという制度はなく、利益は可能な限り内部留保し、一致団結して店を守る。これは農耕民族的である。店を長年勤めると暖簾《のれん》分けをしてもらい、本店と精神的親族関係となり、団結する。

ゴーンの行動はバイキング的である。だから、俺は能力があり、得るものは得るべしと何十億円もの金銭を得ようとしていたのだろう。

日本には、江戸時代以来のお店の思想・感覚が明治維新を越え、今もって生きている会社が多い。海賊的発想はなかった。だから、成功後、世のため人のために尽すという姿勢となる経営者が多かった。

その一例を挙げると、大阪の岸和田にフジ住宅という会社がある（東証一部上場）。

その創業者、今井光郎《みつお》氏は上場時に得た創業者利益のほとんど全額を投じて財団を作り、①日本の文化に寄与する団体、②幼稚園・保育所に対して助成金を提供されている。今井氏と同様の寄与をされている経営者は、他にもおられる。

それに比べれば、ゴーンの物取り主義は日本人の思考・感覚に全く合わない北欧の海賊的行為である。さっさと己れの故郷へ帰れ。

因《ちな》みに、北欧の社会保障のルーツは、海賊として出発後の女性・老幼の共同生活。だから税金が高くとも今も不平なし。それとも知らず、北欧の社会保障は発達していると誤解して、その見学に行く愚か者が絶えない。日本には家族主義という相互扶助があるのに。

古人曰く、水積《みずつ》もりて魚聚《うおあつ》まり、木茂《きしげ》りて鳥集《とりあつ》まる、と。

水積《みずつ》もりて魚聚《うおあつ》まり、
木茂《きしげ》りて鳥集《とりあつ》まる。
『淮南子《えなんじ》』説山訓《せつざんくん》
水積：水量が多い。
魚・鳥：人間を指す。

野田聖子さん、寄附への日本人的感覚を理解せよ

老生、月に一、二度、講演などで旅路に出る。どの街道も楽しい。車窓から眺める風景から、さまざまな想いが湧《わ》きあがる。

その第一は、水田の美しさである。どの地域でもそれがあり、日本の、そして日本人の伝統を黙って教えてくれている。

われわれの主食は米である。だれがなんと言おうと、米なくして日本人の生活は成り立たない。

もっとも、日本人の中でも変なのがいて、米食よりもパン食のほうが合理的で手間もかからなくていいなどと称し、嬉しそうにあれこれのパンを食べている。またテレビあたりがそれを褒めそやしている。

そんなことないって。そんなにパン、パンと言うのなら、こういう風景をなんと見るのか。すなわち、パンを食べ食べ、スキ焼きを食べる姿。

水田が示すのは、単に物としての米ではない。そこに託された〈ふるさと〉のイメージなのである。

もっとも、都市部へ多くの人口が移動した現在、都市で生まれ、都市で生活する人々にとっては、もう〈うさぎ追ひし　かの山、おぶな（小鮒）釣りし　かの川〉というふるさとは、すっかり消えてしまっている。

けれども、「ふるさと」と言えば、心がときめくことは否めない。その気持を突いたのが、ふるさと納税である。金一封を贈ることによって、ふるさと振興に協力できるとは嬉しいではないか。

そこで税制にも特別措置がとられ、返礼品もあるということで、広がってきた。当然、返礼品に工夫がなされ、返礼品のいいところへのふるさと納税としての送金が激増した。

すると面白くないのは東京をはじめとする大都会地。他地域へのふるさと納税によって自地域への市民税等が減ってきたからである。

当然、防衛策をとる。それは、ふるさと納税への批判という形となった。

まず第一は、返礼品（納付金の半額以下の物品等）が高額であり、それが目当ての納税となっているのはおかしい、と。

第二は、その返礼品が、必ずしもふるさと納税先の生産品ではなく、他地域の産品であり、納税先の地域振興となっていない。

第三は……、第四は……と大喧嘩。

ということになり、担当省庁である総務省の野田聖子前総務相は、ふるさと納税本来の目的とやらを振《ふ》り翳《かざ》して曰く、返礼品金額の上限設定等々。

愚かな話である。この前総務相、寄附への日本人感覚とは何かが、まったく分っていない凡庸な政治屋だ。

寄附——例えばキリスト教徒の場合、名は示さず、自分に可能な範囲内の金銭を納める。こういう精神からボランティア活動が生れてきた。無償、無名——神の思《おぼ》し召《め》しのままに。

しかし日本人の寄附感覚はそうではない。例えば、それこそふるさとの神社の石製の玉垣を見るがいい。柱も、柱と柱との間の支柱も、すべてに寄附者の氏名が彫りこまれている。すなわち無名の寄附ではないのである。

玉垣は一例。日本における諸寄附は、ほぼすべて氏名の銘記であり、無名希望の篤志家は、まず、いない。もちろん、それを恥じることはない。そういうのが日本人として正常感覚だからである。

当然、ふるさと納税も同じく、無償、無名、無返礼、はありえない。日本人の感覚、慣行のままにふるさと納税をし、返礼品を受け取って喜んでいるのが、正常な日本人なのであり、なんら恥ずることはない。

こうした日本人感覚を無視して、キリスト教風に無償・無名の寄附要求をしてみるがいい。あっと言うまに崩壊するであろう。事実、諸寄附を求める側は四苦八苦している。それは、日本人の前記〈玉垣〉感覚が分っていないで、ただお願いばかりだからである。

古人曰く、一人《いちにん》なれば、則《すなわ》ち一義《いちぎ》、二人《ににん》なれば、則ち二義《にぎ》あり、と。

> 一人《いちにん》なれば、則ち一義《いちぎ》、
> 二人《ににん》なれば、則ち二義《にぎ》あり。
>
> 『墨子《ぼくし》』尚同《しょうどう》上
>
> 大意は、人それぞれに考えかたや行動が異なること。
> 義：ありかた。

芸術ぶる映画よりも、孔子の伝記映画のすすめ

われら昭和初期生れの老人にとって最大の娯楽は映画。しかし残念ながら、老生、忘却病に在《あ》るため、それぞれの映画に対して、はて観《み》たのか、観ていなかったのか、記憶、定かでないのう。

しかし新作とあれば、安心して観に行ける。と思いおる折、新聞にデカデカとこういう記事が出た。すなわち第九十四回「アカデミー国際長編賞」の受賞と。

映画好きの老生、おうりゃ、これはぜひにと、コロナ禍など無視して観に行った。

その日本映画「ドライブ・マイ・カー」は約三時間の長編――しかし、観終っての感想はこうだ。はっきり言おう、駄作、それも駄作中の駄作。こんなもん、映画作品ではなく、退屈な紙芝居よ。

主役の西島某は、いい俳優なのだが、こんな駄作に出演していては駄目になるぞ。

優秀映画は、ストーリーを通じて人間を描く、あるいは社会を描く、この二つに尽き

る。そんなこと、常識。

この駄作映画のストーリーはこうだ。劇団の中心人物（俳優ならびに演出担当）が或る演劇を上演する物語が筋となっているが、その出演者の一人に、妻の不倫相手をあえて選び、舞台練習をする。その妻はかつて四歳の子を喪《うし》なって不調となり、病気で急死する。

夫はそういう亡妻の気持を理解しようとして、自動車の運転担当の女性（貧しい家庭出身で不幸な生い立ち）に、その郷里へと車を進めさせる。長距離。そして到着した積雪の中、廃墟と化した家を前に女性は泣き崩れる。その女性を演出家はしっかりと抱き締める。それで終る。そして最後にほんの短いシーン。スーパーで夕食用材料を運転女性が韓国語で買って帰る。その家の前に、演出家愛用の自動車がある。このシーン、意味不明。

面白くも可笑しくもない。ただだらだらと移動車で、風景を映す。それもほとんどトンネルの中。馬鹿みたい。美しい自然風景などほとんどない。まして人間も社会もなに一つ描かれていない。ドライブだけよ。

しかも三時間の長編——普通なら、前・後編に分け、間に休憩時間をつくるとか、配慮があるところだが、そんなものは全くない。老生、文字通りの老人、三時間も座っておれるか。憚《はばか》りタイムを置く配慮がなくては、老人には受けないぞ。

主演の西島某の演技からは、妻の不倫に対する人間的感情がまったく表われていない。しかも、運転役の女性に対する人間感情もなに一つ描かれていない。最後に抱き締めるだけであり、それは不幸な半生であった女性に対する同情にすぎず、妻の不倫との連関はなに一つない。その他、ボロクソの悪口を山ほど言いたいが、それは言うまい。なぜなら、この映画の監督、濱口竜介には才能がないからだ。言うても分るまい。

映画は、やはり筋だ、ストーリーだ。黒澤映画は、今《いま》見てもやはり面白い。楽しませてくれる。真面目な話なのだが、途中、演出でふっと笑わせてくれる。この〈笑い〉を見せてくれるのは、人間を描ける人だからだ。

今日、残念ながら日本映画は血迷って変に芸術ぶっている。創作に自信がない証拠だ。映画は、なんと言ってもストーリーの面白さであって、それが必要ではないか。その努力が見られない。日本映画の衰退の根本原因はそこにある。テレビやスマホ流行の所為《せい》にするな。

例えば、孔子の伝記映画の製作はどうか。孔子の学校の物語は一面だけにすぎない。孔子の本領は、政治家としての凄《すご》みだ。たった三年間であったが、孔子は政敵を倒して殺し、粛清してゆく。だが敗《やぶ》れる。そこから、長い旅が始まる。多くの弟子が追ってくる。

その苦難の旅の中、何度も襲われるが、弟子が戦って守る。そういう人間孔子のドラマを日本がリアリズムタッチで製作すれば、世界の人々に受けるであろう。こうした〈新しい黒澤映画〉を作ってはどうか。

古人曰く、声聞《せいぶん》〈名声〉情《じょう》〔実際〕に過《す》ぐれば、君子〔は〕これを恥ず、と。

声聞《せいぶん》〈名声〉情《じょう》〔実際〕に過《す》ぐれば、君子〔は〕これを恥ず。

『孟子』離婁《りろう》下

声聞：よい評判。
情：実情。
君子：まともな人。

ビーインヴォイセスのアカペラコーラスと大阪的〈笑い〉の芸

老生、コロナではなくて、老人ゆえに外出をせず、終日、テレビと本とが相手の茫然《ぼうぜん》の日々。ま、半《なか》ば仙人——と言いたいところではあるが、俗気《ぞっけ》はなかなか抜けぬわな。じゃによって俗論を一つ。老生、「今月のお薦め3本」（毎日新聞／二〇二二年十月二十七日付）というコラムで、藤原辰史なる人物の文章に接したが、カチンときた。

「自民と旧統一教会　古い家族観に決別を」というタイトルで六百数十字。このタイトルから老生が関心を抱いたのは「古い家族観」という語であった。それがどういう概念かと真剣に読んだけれども、それはどこにも記されていないのである。「旧態依然とした家族観……古い家族観への決別を宣言しない限り、日本の現状は変わらない」と言うのみ。

古い家族観と偉そうに言うが、いかなるものなのか、その概念を明示せよ。藤原某の所説は、すべてその一点にかかっている。

藤原某は京大准教授とやら。ならば学者の立場から物を言え。そこらの無責任な雑談屋調と同じでは、文筆者として生き残ることはできない。もちろん研究者としても大成しないことであろう。

この「古い家族観」などという訳《わけ》の分らないことばを使う神経と似たものを「プロフェッショナル　仕事の流儀」（NHK・二〇二二年十月二十八日）というテレビ番組でも観《み》た。東京03という三人組のコント集団が主人公。老生、そのお笑いトリオの名をそのとき始めて知ったが、人気があり、公演の切符はなかなか取れないという。

その演芸を一部ではあるが番組に織りこんでいたので見たが、まったくツマラナイ。大阪人なら、だれも笑わないであろう。

その程度の安物芸をNHKがわざわざ取り上げるというのが、さらに分らない。古い家族観とやらを振り回す藤原某、無芸なのに有芸と思い込んでいる東京03——アカンなあ、と思っていたとき、関西でたまたま観たある芸は、実に面白かった。

それはビーインヴォイセス（Be in Voices）という名のアカペラコーラスグループ。大阪音楽大学の同窓生が結成したとの五人であるが、クラシックに始まり、ジャズ、ポップス、ロック、童謡、民謡なんでもござれ——ということは、客を引っ張ろうと、あれこれ苦労しているグループ。

と、それだけならば、日本中、どこにでもいる。しかし、このグループに大きな特色があった。〈笑い〉である。それも徒《ただ》の〈笑い〉ではなくて、大阪的〈笑い〉。それは、芸と称していいほど、心から笑わせてくれた。しかし、パッと切り替えて歌に入る。もちろん本格派。

この切り替えは美事《みごと》であった。それこそ〈芸〉であった。恐らく、これまで苦労に苦労を重ねてきたのであろう。特別の演出家もいないなか、失敗を重ねながら、自分たちで創りあげてきたのであろう。

大学時代にグループを結成して三十年だから、五十歳代か。その持続ということも彼らの強さを示している。

世の芸能プロデューサーは全国版としてこのグループを起用してはいかがか。ビーインヴォイセスは、歌と観客を笑わせる芸とを持っている。そのサービス精神こそ〈大阪的〉である。ここを世人は高く評価するであろう。老生は高く買っている。

もっとも、同グループに注文がある。歌唱サービスの一つに日本の演歌があるが、なんと「蘇州夜曲《そしゅうやきょく》」だのなんだの――古い。そういうのではなくて、それこそド演歌で行け、ド演歌で。

例えば、森進一の絶唱「おふくろさん」とか、いろいろあるではないか。「わたしの城下町」「白いブランコ」など、老人を泣かせる名曲は数知れない。そういう演歌で行け。ドンと。

古人曰く、五稼《ごか》（農作物）春《はる》にあらざれば、生《しょう》ぜず。智者《ちしゃ》の功《こう》（功績）時《とき》（ちょうどよいとき）にあらざれば、成《な》らず、と。

五稼《ごか》（農作物）春《はる》にあらざれば、生《しょう》ぜず。
智者《ちしゃ》の功《こう》（功績）
時《とき》（ちょうどよいとき）にあらざれば、成《な》らず。
『呂氏春秋《りょししゅんじゅう》』首時解《しゅじかい》

五稼：農作物。
生：生長する。
功：手柄《てがら》。
時：ちょうどよいとき。

役者にとって大事なものは「姿」より「顔」より「声」

老生、その昔は、己れの研究に没頭、勤務上の義務以外は、在宅。朝から夜遅くまで、書斎に籠っていた。テレビなど、たまたま観る場合を除いて、縁もゆかりもなかった。

しかし研究者を引退して、しかもコロナ禍のこの日々、外出は控えるというわけで、テレビをよく観《み》るようになった。

そのテレビ番組には、当り前のことであるが、良いのもあれば、つまらぬものもある。これは、造りものの宿命。

そのつまらぬものの筆頭は、ＮＨＫの連続テレビ小説「おちょやん」であった。と過去形で書くのは、もうその番組が終ったからである。

もちろん、老生、この番組と全く無縁の者であるがゆえに、率直な感想を述べる。

主役の若い女性某（名は失念）の演技は、なっていなかった。人間の表情——喜ぶ、怒る、哀しむ、楽しむ……等は、役者でなくとも、普通人でも表わすことができる。

しかし、人間の感情は複雑、同じ怒りでもいろいろなものがある。例えば、その怒りを爆発させるときもあれば、ぐっとこらえて心の内に秘めるときもある。当然、そういう区別を演技で表現するのが役者である。

ところが、「おちょやん」主演の某女優の表現には、そういう工夫が見えなかった。いつも型通り。老生、ほぼ全篇を見たが演技力はゼロに等しかった。すなわち、基本としての演技力がない。いわゆる大根役者。こういうのは、さっさと引退することだ。

こうした批評は、観ていた誰しもが抱くことであろう。　般論として。

のみならず、あえて踏みこんで言えば、彼女には俳優として決定的に欠けているものがあり、それがこの小娘役者には将来がないことを明確に示しているのである。

それは何か。すなわち〈滑舌《かつぜつ》〉の悪さである。滑舌というのは、特別な用語、すなわち俳優たちの世界で使われる用語らしいが、こういう意味である。台詞《せりふ》を明晰《めいせき》に発音するための、舌や口の滑《なめ》らかな動きのこと。

なるほど。しかしそれは俳優の世界に限らない。一般社会においても、日常の会話、会議での発言、講演のときの講師のことば……等々において、実に発音の悪い人がいる。それでは何を言っているのか分らない。

まして物語を進める役者の滑舌が悪いと、もうそれだけでその役者は失格である。

「おちょやん」某女がそれであった。特に彼女の独白は聴き取りにくかった。

江戸時代、芝居が全盛期のころ、役者を評価する順序はこうであったという。すなわち「一《いち》声《こえ》、二《に》顔《かお》、三《さん》姿《すがた》」と。

劇場の舞台が主要場所であるから、まず音声。この「声」は、美声だけではない。「減《め》り張《は》り」すなわち「減り」（ゆるめる）、「張り」（高める）、あるいは邦楽における「乙甲《めりはり》」（音の高低、抑揚《よくよう》）といった変化が重要である。「甲高《かんだか》い」の「甲」は、そこに関わるのであろう。

そう言えば、最近亡くなった俳優の田村正和もかつては〈声〉が良かった。特長があり、あの声が人々を引き付けた。

現在活躍中の俳優から選ぶとすれば、断然、玉木宏である。いい〈声〉をしている。これは、天性の美声、いや天性の清声、と言うべきか。テレビ画面を観ていなくても、その声を聴くだけで、彼だと分る。故田村正和の場合もかつてはそうであった。

にもかかわらず、テレビ出演者（プロ、アマを問わず）は一般に滑舌が悪い。のみならず若い女性（アナウンサーを含めて）の声は、どうしてああ甲高いのであろうか。非常に聴き取りにくい。もう少しトーンを落せばいいものをキャーキャー声になってしまっている。大根役者は男女を問わず同様。

老生、教員生活が長かった。良い声でなかったので、ゆっくり話すことを心掛《こころが》けた。さらに、大切な内容は始めと後《あと》と二回、同じことを言う。

古人曰く、歌ふ者《もの》（は堂に）上《じょう》に在《あ》り。匏竹《ほうちく》（笛演奏者）（は堂）下《か》に在り。人声《じんせい》を貴《たっと》べばなり、と。

歌ふ者《もの》（は堂に）上《じょう（かみ）》に在《あ》り。
匏竹《ほうちく》（笛演奏者）（は堂）下《か（しも）》に在り。
人声《じんせい》を貴《たっと》べばなり。
『礼記』郊特性《こうとくせい》

堂：儀式場。
匏：笙《しょう》。
竹：管《ふえ》。

日本美とは対照的な踊る女子高校生の〝美しさ〟

老生、野暮であるから、若い女性については、よく分らぬ。もちろん、彼女たちが狙っているものなど、ほとんど分らぬ。

そのため、どの若い娘を見ても、みな同じ顔に見え、どこがどう違うのか、分らない。

例えば、女性のテレビアナウンサー。ほとんど同じ感じの顔つきに見えるので、△△テレビの人気女性アナウンサーも、××テレビのそれも区別ができないでいる。

しかも、その内になにやら消えてしまい、若い女性アナウンサーが現われ、またその顔がよく覚えられない。

要するに、テレビには老人向けの工夫がない。家族中で、最もよくテレビを観ているのが老人であるのに、それが、テレビ局の連中、分っていないということであろう。

アナウンサー用に、胸に大きな名札をぶらさげておくことだ。それなら分る。

あるいは、若い女性アナウンサーをずっと使い続け、婆さんアナウンサーになるまでがんばらせることだ。婆さんには婆さんの味わいというものがあるからのう。

若い娘と言えば、付けまつげが圧倒的に多い。なぜ付けまつげと分るかというと、平板な日本人の顔の眼に長いまつげがあるはずがないという老生の古ぼけた先入観が絶対に抜けないからであろうか。

などと言うと、美容師上りの評論家あたりが、付けまつげによる美点をあれこれ言いつくろうことであろう。

それ、大体において誤り。彼ら彼女らの基準が欧米の白人であるからである。そうした白人に近づくための手段として、例えば付けまつげを推奨するのであろう。これは、明治以来の白人崇拝の価値観から来ている。

そのような、付けまつげをして眼を丸くして、狸《たぬき》の眼つきのような団栗眼《どんぐりまなこ》にすることの愚かさを知って黙って否定しているのが、例《たと》えば、浅田真《ま》央《お》であり、近くは池江璃《り》花《か》子《こ》らである。

これら選手の顔立ち、別《わ》けても眼は伝統的日本美を映し出している。これに心ある日本人が惹《ひ》かれ人気が出る原因となっている。浅田・池江らは、際立った二重瞼《ふたえまぶた》ではない。ほとんど一重瞼と言ってよい。

ここである、大切なところは。日本中の、と言ってよいくらい多くの娘どもは二重瞼整形をしていることであろう、白人の真似をして。しかし、日本風の「引目鉤鼻《ひきめかぎはな》」の引目は、線を一本引く目のことで、二重瞼でない浅田・池江らの眼の雰囲気、そして瓜実顔《うりざねがお》系が、日本人好み。どうもテレビ局の女性アナウンサーのほとんどは、浅田・池江ら流の日本美的感じがなく、団栗眼《どんぐりまなこ》系である。

という話どころか、すごいのが出てきた。昨年の大阪は登美丘《とみがおか》高校女生徒のバブリーダンスである。産経新聞主催のダンス競技への参加演技であるが、老生、観て、思った。これはダンスではない。スポーツである、と。それほど激しく身体を動かしていた。

それは、夢と消えたバブル時代を想い起し、そのイメージをダンス化した激しい動きで有名となったが、老生、こう理解した。

その顔の化粧を、わざと徹底的にコテコテにしてまさにバブル時代を表現して成功していたのと同時に、踊る女子高校生に極端な厚化粧をさせ、本人の顔を消し去っている。この厚化粧仮面は、羞恥心《しゅうちしん》をすべて奪っているので、女子高校生たちは生き生きと自在に踊り、躍動していて美しい。

瞬間、あっと気づいた。女性が美しく見える順序は「夜目《よめ》、遠目《とおめ》、笠の内《かさのうち》」である。富山の「おわら風《かぜ》の盆」も阿波踊も編み笠もかぶった女性が美しく見える。あの編み笠に代っての高校生の厚化粧は、実は〈笠の内〉であり、全国の不美人に自信を与えた功績は大である、というのが、この老人の素直な感慨ぞ。この調子なら、老生、テレビ評論もゆけるかな。呵《か》、呵《か》。

古人曰く、正しく位《くらい》し（立ち）……四支《し》を暢《の》ばし、事業を発《おこ》せば、美の至るなり、と。

正しく位《くらい》し（立ち）
……四支《し》を暢《の》ばし、
事業を発《おこ》せば、
美の至るなり。
『易経』坤《こん》
位：姿勢を保つ。
四支：手足。
暢：のびのびする。
事業：その仕事。
至：最高点。

〈無〉こそ皇室のあり方――陛下は皇居の奥深くに在《あ》られよ

今の世、老人は邪魔者扱い。老人ども、やれ医療費が多いの、やれ年金をもらいすぎの、と正月から石を投げられておるわ。

これ、まちがい。〈老人〉だけという括《くく》りがまちがいではないか。

では、括りを〈老人〉に代えて〈アホ〉はどうか。

これまた、まちがい。アホ（関東ではバカ）となると老人に限らぬわ。

などと酔余《すいよ》のままのぶつくさ正月も終った。しかし、この正月、新聞に一つの特徴があった。

それは、皇室についての記事が多かったことである。もちろん、御譲位、年号、大嘗《だいじょう》祭《さい》（大嘗会《え》）……と。

その中で気になったのは、敬語の使いかたである。記者、社外執筆者を問わず。

例えば、「今の天皇陛下」ということば遣い。これは近ごろのだれかが使いはじめたのであろう。老生、寡聞《かぶん》にしてそのようなことば遣いは知らなかった。その時の、すなわち「当代の」天皇を「今上《きんじょう》（あるいはこんじょう）」と申しあげるのが心得ではないのか。

ただし、「今上」だけでは敬意が不十分として「今上陛下」と申しあげるのが、常識というものであろう。

にもかかわらず、〈今の新聞〉は「今の天皇陛下」と記して憚《はば》からぬ。これ、入社試験問題の一つとして出題してみてはどうかの。

ま、それはともかく、皇室について気になることがある。それは、秋篠宮《あきしののみや》殿下の昨年の御発言。皇室行事の内、宗教に関わる儀式は、政教分離の観点からすれば、皇室関係費内で出費するのがいい……とあった。

老生、この御発言には違和感を覚えた。

まず第一は、政府の決定事に対して否定的御発言をなさること自体、いわゆる政教分離に反するのである。皇室は政府に〈命じる〉ことをしてはならないからである。

第二は、皇室関係費について。これは、あくまでも政府が決定した予算なのであるから、その執行においては、宮内庁が責任者となるのであって、皇室が自由に使えるわけではない。仮にもし皇室関係費から〈私的に〉大嘗祭用の費用を出すことにしたならば、そのことによって不足する皇室関係費は、どのようにして補塡《ほてん》するのであろうか。結局は政府予算からとなる。それなら、別途に政府が初めから大嘗祭関係費の予算を組むべきであろう。事実、その予定である。

このように、皇室の方々の御発言は、新聞種となる可能性がある。それも、悪意をもつ新聞社があるのであって、危ふし危ふし。そういう擦枯《すれからし》（すれっからし）連中に比べて、皇室の方々は天真爛漫《てんしんらんまん》。マスコミなどの変な連中とはおつきあいなさらぬこと、これ肝《かん》腎《じん》、肝腎。

因《ちな》みに、正月、皇居において両陛下への拝賀の儀式が行なわれている。平成最後の機会ということで、今年は非常に多かったという。

老生、この正月拝賀の儀に対して非常に疑問に思っている。

というのは、皇室の方々は、可能な限り、人前《ひとまえ》にお出ましにならないことを心底から希望しているからである。

すなわち、皇室は可能な限り皇居内に在《いま》して、皇居外すなわち人前にお出ましにならないでいただきたいのである。そして皇居内で国民の幸福のために静かに祈っていていただきたい。

それは、〈無〉の日々。無こそ皇室のあり方すなわち公平の極致なのである。

このこと、老生、数十年前から、折に触れ書き続けてきたが、実情は、陛下を始めとして、皇室の方々のおでましが絶えない。それでいいのであろうか。

皇室は、日本人の根幹（生命の連続）に在《ま》しますのであって、国民のスターなどという安っぽい人気の上に在《あ》られてはならないと信じている。皇室は、日本国のためには、皇居の奥深くに在られよ。

古人曰く、有《ゆう》は無《む》に生《しょう》じ、実《じつ》は虚《きょ》に出《い》づ、と。

有《ゆう》は無《む》に生《しょう》じ、
実《じつ》は虚《きょ》に出《い》づ。
『淮南子《えなんじ》』原道訓
に……から。

上皇陛下に靖國神社御親拝を懇願申し上げ奉る

二〇一九年四月、新しい次の年号も定まり、大賀、大賀。この後は、新帝の即位へと大局は動いてゆく。当然のことではあるが。

その新しい〈動〉があれば、当然、その逆の〈静〉がある。すなわち、新帝の〈動〉に対して、旧帝の〈静〉である。

旧帝はこれから上皇として静かな御日常となるが、それを国民は邪魔してはなるまい。御退位はみずから求められたことである以上、これからは、その御日常が静かであればあるほど、御意思に沿うことになるからである。

しかし、果して静かな御日常となられるのであろうか、やや疑問を抱いている。

なぜならば、日本人の善意なのではあるが、お淋しいでしょうという忖度《そんたく》から、上皇に対して、さまざまな会合に御来臨を求める可能性が高い。

これはよろしくない。引退の宣言をなされた以上、公的場面に上皇が光臨されるようなことでは、御引退にならない。

日本人は優しすぎるので、その優しさがかえって筋を曲げてしまうことになりかねない。日本人史上、天皇と上皇との対立があったのは、政治上の問題が大きかった。われわれ現代の日本人は、その愚を絶対に冒《おか》してはならないのである。

すなわち、公的集会（たといそれが国際的学術学会であろうと）には御臨席なさらないことである。一度でも一回でも光臨されると、それが既成事実となり、前例となり、さまざまな団体からの要望が増え、結局は、御臨席が日常事となってしまうことであろう。

それでは、退位された意味がなくなる。もちろん、音楽会や美術展などに、楽しみとしてお出ましになられるのは、好ましい。それは自由な生活ということであって、公的意味を含まない。これまで、天皇であられたがゆえに、〈個人的自由〉はおそらくほとんど耐え忍んでおられたことであろう。われわれ庶民のような〈毎日が個人的自由〉とは隔絶《かくぜつ》された世界であったと拝察申しあげる。

それでは、これからの御日常は、ただ単なる生活であろうか。

天皇としてのこれまで、特に御高配されていたのは、過ぐる大東亜戦争において斃《たお》れ没《ぼっ》された方々の現地での御弔悼《ちょうとう》であった。

老生、かつて沖縄に行き、日本軍最後の基地、牛島満《うしじまみつる》中将ら司令部が最後に楯籠《たてこも》った摩文仁《まぶに》高地を訪れた。その基地があった洞窟の前に幅約二メートルの狭い道路状の地がある。そこは全体が崖であり、その中腹。前方は海だけが広がっている。摩文仁は、まさに沖縄の南端であり、その海上には、当時、米軍艦が密集していたことであろう。

牛島中将は、米軍艦の浮かぶ海に向って、その狭い道路状地において、割腹自決をした。長勇《ちょういさむ》・参謀長も。そして沖縄戦が終った。老生、同地を訪れ、涙が止まらなかった。

この沖縄の地に陛下が向かわれたこと十回を超える。この沖縄をはじめ、各戦地を訪れられた。遠くは、パラオへ。それもパラオ本島から五十キロも南の激戦地ペリリュー島を慰霊訪問されている。戦死者、日本兵約一万、米兵約二千。

陛下は、老生より数歳年長であられる。畏《おそ》れ多いが、大東亜戦争の記憶が残る最後の世代である。それだけに、先の大戦において戦死された方々への想いは絶えない。老生、沖縄からの帰路、あえて船便にした。沖縄・鹿児島間の海上に散華《さんげ》された方々の諸霊に合掌し、般若心経《はんにゃしんぎょう》を何度もくりかえし拝誦《はいしょう》申しあげ、鎮魂慰霊申しあげた。

畏れ多いことであるが、あえて上皇に懇願申しあげ奉る。なにとぞ靖國神社御親拝のほどを。そのことによって、英霊の鎮魂が成る。天皇ではないので、法律上の問題は一切ない。あくまでも上皇一個人の参拝であり、外国も口出しできない。御親拝をひたすら懇願申しあげ奉るのみ。

古人曰く、君子は、時《とき》　詘《かが》むれば、則ち詘《かが》み、時　伸ぶれば、則ち伸ぶ、と。

君子は、
時《とき》　詘《かが》むれば、則ち詘《かが》み、
時　伸ぶれば、則ち伸ぶ。
『荀子《じゅんし》』仲尼《ちゅうじ》
時：時代の求め。
詘：曲げる。消極的。
伸：伸ばす。積極的。

〈特別収録〉安倍元総理こそ国葬にふさわしい

枝葉末節の批判ばかり

無念の最期を遂げられた安倍晋三元総理の国葬に対して、マスコミは、なんとあれこれと難クセをつけた。私は研究者として論理学、特に中国における論理学について思索を巡らせてきた。一般的詳細は、老生の『中国人の論理学』（ちくま学芸文庫、あるいは中公新書）に述べているが、以下のように要約しておこう。

物事に対する見方には「名《な》」（形式、表現）と「実《じつ》」（内容、概念）との二つの見方があり、名実の一致が理想である。しかし、一致はなかなか難しい。その大きな理由は、使用している言語それぞれの性格によるからである。

中国人の使う漢字には、概念語が多いので、「実」が優先される。「山」という字を見ると、すぐさま実感的に「山という実物の存在」という受け止め方になる。

それと対照的なのは日本語で、話者の気持ちを表す「て・に・を・は」、つまり助詞が大切になる。だから「山」という字を見ると、「山が・山に・山の・山を・山は……」のどれかという受け止め方になる。すなわち「山」という中心となる字が形式化（記号化）されやすいのである。そのように、日本人は「名」（形式）優先、中国人は「実」（内容）優先である。そのような観点から、今回の国葬の反対論を見ると、実に形式的な批判ばかりで、もっとも大切な本質論から程遠《ほど》い。

「国葬は誰が決めたのか」「どういう人が参加するのか」「予算はどれほどかかるのか」……と枝葉末節。

暗殺された安倍元総理に対する哀悼の意をもって議論する議員、特に野党議員は誰もいない。彼らは枝葉末節の批判ばかりしていて、本質から目をそらし続けている。野党は有権者に阿《おもね》り、無理やり批判を繰り広げているが、その内容を見れば「名」（形式）優先であることがすぐにわかる。心なき人は形だけを見る——そうならざるを得ないのだ。

〈国益第一〉の外交

安倍元総理は、国葬に値する大政治家であった。安倍元総理の功績については、一歩引いた視点が必要だろう、次のように。

安倍元総理の悲願は憲法改正である。現行憲法は、国軍を持つことができない実に歪《いびつ》なものである。勝利国の米国が、敗戦国の日本が二度と武器を持って立ち上がることがないように手かせ足かせをはめたのだ。植民地思想と同じで、武器を奪い取り、それとともに反抗心すら持たせないようにしたわけだ。武器を持たない国が反抗しようとしても、せいぜい農機具の鎌や包丁を持ち出すしかない。それでは、反乱を起こしても勝てるわけがない。そう考えると、今の日本国憲法は平和憲法でも何でもないことがわかる。

だから、そんな憲法を安倍元総理は何とか改正しようとしたが、米国のさまざまな圧力もあり、実現の道は遠いものと思われた。

そこで安倍元総理は次のように考えた。特に周辺国で脅威なのが、ロシア、そして中国である。まずロシアだが、安倍元総理はプーチン大統領と実に通算二十七回も会談を重ねたのである。しかし、具体的な成果はない。だが、それでいい。

日本の総理と会談することが常に前提となっていれば、プーチン大統領もおいそれと日本に攻め込むことを許可することはできないだろう。しかし、プーチン大統領を全面的に信頼することは危険。いつ攻め込んでくるかしれない。第一、ロシアの本音としては北海道が欲しくて欲しくてたまらない。不凍港を得られるからだ。

では、そんなロシアから日本を護《まも》るにはどうすればいいか。安倍元総理は熟慮し、米国のような大国に始まり、名の知れない小国にまで、八十カ国を巡る「地球儀を俯瞰《ふかん》する外交」を展開したわけだ。なぜ、そこまで回ったのか。それはロシアがもし日本に攻め込んできたとき、それを批判する厳しい国際世論を形成するための周到な下準備でもあったのだ。「外遊」という言葉があり、マスコミも安倍元総理を批判する際には、よく使ったわけだが、別に遊ぶために世界中を飛び回ったのではない。

ロシアへの牽制《けんせい》、そしてひいては中国の脅威を抑えるための、見えざる布石《ふせき》を打つ外交戦略を展開していたのである。それは国益のためだったのである。

このような〈国益第一〉の外交を展開した総理が過去にいただろうか。日本の国防に尽力した人物であるからこそ、国葬に該当する資格がある。日本の安全保障に全力を尽くした安倍元総理こそ、国葬にふさわしいのは当然ではないか。

実に卑怯な手口

では、国葬にふさわしい人物の具体例として、それぞれの分野で考えてみよう。

まず「芸能」はどうか。古い話だが、三船敏郎など、国際的な大スターがいた。国民的スターとして「国民栄誉賞」を受賞した渥美清などがいる。しかし、だからといって国家の安全保障が形成できるのか、と言ったら、それは土台無理な話。戦車が乗り込んできたり、戦闘機が銃撃してきたら、そんな芸能人など吹けば飛んでしまう。そういう意味では、芸能人で国葬に値する人物は一人もいない。

次に「学界」はどうか。これはまったくダメ。学者の老生が言うのだから間違いない。学者は独自の物の見方や論理を形成することに腐心《ふしん》する。そしてようやく立てた論理が有効であると証明されるには、まず百年は最低でもかかってしまう。ノーベル賞を受賞した学者にしても、そう簡単に世界的な評価を受けるわけではない。京都大学の山中伸弥教授にしても、その実績が国葬に値するとは到底言えないのではないか。

次に「財界」。己の経営している企業のトップではあっても、日本の経済の一部に過ぎない。ましてや世界経済の観点からしたら、ごく一部になる。たといトヨタやファーストリテイリングのような世界的大企業であっても、公益ではなく私益に過ぎない。経団連会長にしたって四年程度の任期では、国葬に値するとは言えない。

というふうに見てみると、国葬に値する人物を見出すとしたら「政界」しかないではないか。しかし、政界を見渡してみて、国葬にふさわしい政治家といえば、やはり安倍晋三以外にあり得ない。その理由は先述したことによる。しかも歴代政権最長の在職日数を誇る。一年で終わる政権が多いなか、驚異的な数字ではないか。

そんな安倍元総理に対して、ああでもない、こうでもないと言うのはいかがなものか。〈死人に口なし〉という言葉がある。答えをどう求めるというのか。誰かが解釈して答弁する以外にないが、それすらも行なわれていないではないか。

安倍元総理と旧統一教会と深い関係にあったことを、ことさらに取り上げるだけ。そのことが国益にどうかかわっていたのか、具体的な批判がまったくなされていない。国益を損《そこ》ねたとしたら、その証拠はどこにあるのか。示すべきである。野党をはじめ、マスコミも〈死人に口なし〉に悪乗りしている印象を受ける。だから、いくら悪口を言ったところで、彼らは平然としているのだ。反論する相手がいないのだから。実に卑怯《ひきょう》な手口である。

もう一つ、国葬を通じて、日本人の精神的な問題が浮上している。

安倍元総理は殺されたのだ。戦後の総理経験者で、暗殺された人物は安倍元総理しかいない。病死であれば諦《あきら》めもつく。しかし、安倍元総理自身、元気で、やる気に満ちておられた。さまざまな志もおありであっただろう。

そんな安倍元総理が凶弾に斃《たお》れたことに対して、日本人の一般的な感情としては、「申し訳ないことをした」という気持ちが湧き上がるのは当然のことではないのか。

殺された事実をもっと重く見るべきである。人が不当に人を殺す権利などあるのか。山上徹也容疑者について、周辺ではいろいろ言われているが、彼自身の家の問題なのである。それなのに、百万円超の支援金が全国から集まったというから、開いた口がふさがらない。

ともあれ、安倍元総理はテロリストに殺害されたのだ。粛然《しゅくぜん》として受け止めるべきだし、受け止めないのであれば、日本人とは言えない。その弔意《ちょうい》をこめて国葬にするわけである。ところが、野党の連中は「黙禱《もくとう》について学校に通達するのか」などと批判しているが、まったく見当はずれの議論だ。岸田文雄総理が「九月二十七日に国葬を実施する」と一言言えば、それで議論はおしまい。

あと、国葬に参加する、しないは、個人の自由である。「冥福を祈りたい方は祈ってください」――それで十分。安倍元総理への弔意を表す人、表さない人、それぞれ違って当然のこと。ただ、その範囲をできるだけ広げたいための国葬なのである。

「国葬」だから、命令一下、すべての国民が喪に服さなければならない、という印象を与えているが、そんなことはまったくない。そのような発想は、先述したように「名」を重んじる形式主義の日本人の特性とも言える。もっと言えば、日本人の愚劣さの点の表れでもある。悲しみたい人は悲しめばいい。国葬が行われるときに、それぞれの場所で弔意を示せばいいだけなのである。

最後に一言。旧統一教会には儒教の影響が色濃い。ただし、祖先を祀《まつ》ることが中心に据えられているという点においてである。それは儒教である。儒教のその宗教性を中国仏教や日本仏教は取り入れている。祖先に悪魔がついているから祓《はら》う必要があると、旧統一教会は主張する。この悪魔は、あくまでもキリスト教からの影響なのだ。

そうした祖先にとりつく悪魔という考え方は、儒教文化圏にはない。ところが、それを信じさせ、悪魔を入れて、押し込んでおくための特別なツボがあるとして、安物のツボを何百万円もの値をつけて買わせていたわけだ。

儒教の一部とキリスト教とを併《あわ》せた宗教の姿が旧統一教会の実態である。ただし、その儒教理解は、韓国流の儒教理解なのであって、世界的一般性はない。お粗末な〈理論〉ではある。

『老子』五章に曰く、「多言《たごん》は屢々《しばしば》窮《きゅう》す」と。

加地伸行（かじ　のぶゆき）
1936年、大阪市生まれ。60年、京都大学文学部卒業。高野山大学・名古屋大学・大阪大学・同志社大学・立命館大学を歴任。現在、大阪大学名誉教授。文学博士。中国哲学史・中国古典学専攻。著書（編著などを除く）に「加地伸行（研究）著作集」3巻として『中国論理学史研究』『日本思想史研究』『孝研究』ならびに『中国学の散歩道』（研文出版）、『儒教とは何か』『現代中国学』『「論語」再説』『「史記」再説』『大人のための儒教塾』（中央公論新社）、『沈黙の宗教―儒教』『中国人の論理学』（筑摩書房）、『論語 全訳注』『孝経 全訳注』『論語のこころ』『漢文法基礎』（講談社）、『論語』『孔子』『中国古典の言葉』（角川書店）、『家族の思想』『〈教養〉は死んだか』（PHP研究所）、『令和の「論語と算盤」』（産経新聞出版）など。

マスコミはエセ評論家《ひょうろんか》ばかり

2023年5月27日　初版発行
2023年6月8日　第2刷発行

著　者　加地　伸行

発行者　鈴木　隆一

発行所　ワック株式会社
東京都千代田区五番町4-5　五番町コスモビル　〒102-0076
電話　03-5226-7622
http://web-wac.co.jp/

印刷製本　大日本印刷株式会社

ISBN978-4-89831-968-0